プロローグ

フリギア国のミダス王は、
黄金を愛し、富を独占《どくせん》する、強欲な王だった。
あるとき、半人半馬のシーレーノスを助けたことで、
ミダス王は、その主人である、
オリュンポスの神ディオニュソスに深く感謝《かんしゃ》された。
「ミダス王よ、お前の願いを一つだけ叶《かな》えて進ぜよう。
どんなことでも申してみるがよい」
ミダス王は、ディオニソスの気が変わらぬうちにと、
即座《そくざ》に答えた。
「触《さわ》るものをすべて黄金に変える能力をください！」
そして、願いは聞《き》き届《とど》けられた。
手に触れた木の枝は、黄金色に輝《かがや》き、
手に触れた岩は、大きな金塊《きんかい》に変わった。

に意外な結末
どうにも怒りが抑えられない……
△×市役所
レストラン
4.5
4.0
彼の勇気に、勇気をもらいました!
まさか…
あいつが…
そんなちっぽけなかけらだけで嬉しいんですか?
お兄ちゃん、だれ? 砂あそびの仲間に入りたいの?
Gakken

「5分後に意外な結末」シリーズ

5秒後

ミダス王の黄金の指先

桃戸ハル 編著
usi 絵

部屋の中のもの、宮殿《きゅうでん》のさまざまなものを黄金に変えていったミダス王は、最初、たいそう喜んだ。

しかし、食事のとき――。手にとったパンは、黄金色の固い物体に変わり、噛《か》むこともできず、ノドを潤《うるお》そうとした水も、ドロドロとした、黄金色の何かになった。

ミダス王自慢《じまん》の、美しく色とりどりに咲くバラ園も、味気ない黄金一色になってしまった。

ミダス王は泣いた。

「バラは、様々な色をもつから美しいのに……」

そして、ミダス王は、「触るものすべてを黄金に変えたい」と願ったことを反省した。

「なんであんな願いをしてしまったんだ。願うなら……触《さわ》るものを黄金に変える能力がほしい。ただし、有機物ではなく、無機物のみ。そして、無機物の場合も、『これは黄金に変えたい』と対象物を指さしてから5秒以内に触ったもの限定。さらに、金の価値が暴落しないように……」

ミダス王は、「反省の色」まで黄金に染《そ》めてしまった。

目次

contents

ブックデザイン・Siun

編集協力・原郷真里子、飯塚梨奈、
相原彩乃、黒澤鮎見、
宿里理恵、舘野千加子、
北村有紀、小林夕里子、
藤巻志帆佳

DTP・四国写研

第1話

責任のとらせ方

あるマンガ雑誌の編集部にクレームの電話が入った。
掲載《けいさい》されたマンガに、誤植《ごしょく》があったのだ。
主人公の男子が、ヒロインに呼《よ》びかける大事なシーンで、
その肝心《かんじん》のヒロインの名前が間違っていた。
編集長がいくら謝《あやま》っても、電話の相手は納得しない。
「あんな感動的なシーンで、主人公が呼ぶ、
ヒロインの名前が誤表記《ごひょうき》されてるんですよ。
編集担当者が、適当《てきとう》に仕事してるから、
こんな間違いをするんでしょう?
キャラクターは生きてるんです。ちゃんと真剣《しんけん》に、
実際に存在する人間だと思って扱《あつか》ってください!」
いつまでも文句を言い続ける相手に、編集長は言った。
「確かにおっしゃる通りです。この間違いについては、
ミスをした本人に、きちんと責任をとらせます」

翌週、名前を言い間違えた本人
——マンガの主人公は、
ヒロインに浮気《うわき》を疑《うたが》われて
平手打ちを食らう、
という制裁《せいさい》を受けた。

第2話

ゴーストライター

純愛小説を書かせたら右に出る者がいない、
大人気ベストセラー作家のスキャンダルが報じられた。
「これまでの彼女の作品はすべて、
作家本人ではなく、私が書いたものです」
そう、ゴーストライターに告発されたのである。
メディアの厳しい追及《ついきゅう》によって、作家本人が謝罪し、
激しいバッシングが浴《あ》びせられた。
それでも、ファンの中には、
まだ作家本人が書いていたと信じている者もいた。
しかし、作家に関する、さらなるスキャンダルが報じられた。
作家の不倫《ふりん》が、明らかになったのである。
作品の純愛小説と、まるでイメージの違う作家の実像に、
作家のファンですら、「やはり、すべての作品を、
別人が書いていたのだ」と理解した。

「先生、本当に、これでよかったんですか？」
そう言ったのは、作家を告発した、
ゴーストライターだった。
「私は、何も書いてない。先生の作品は、本当に先生が、
命を削《けず》って、自分で書いたものなのに！」
ゴーストライターの目の前にいるのは、
彼女が告発した、あのベストセラー作家だった。
「いいのよ、悪いのは私。自業自得なの。
私にとって純愛でも、他人から見たら不倫《ふりん》なのよね。
でも、スクープ報道の前に動けてよかった。
もし私が「作者」のままで、不倫報道がされていたら、
これまで書いた作品は、誰にも読んでもらえなく
なっていたかもしれない」
「だからって、ゴーストライターに書かせたなんて
嘘《うそ》をでっち上げるなんて……」
「私にとって、作品は子どもと同じ。
親の不始末で、子どもを不幸にするわけにはいかないのよ」

本当にこれでいいんですか？
あの作品は、先生が書いたものじゃないですか!?
こうでもしなきゃ、誰も読んでくれなくなるわ

第3話
親友の足

ロンの親友であるチャーリーが交通事故に遭《あ》ったのが、3ヵ月前。一命はとりとめたものの、下半身にマヒが残ってしまい、チャーリーは歩けなくなってしまった。

チャーリーは、ロンが小さい頃からの親友だった。生まれてすぐに出会い、ともに走り回り、一緒に大好きなサッカーをして、多くの時間を過ごしてきた。

その大好きなサッカーができなくなってしまったチャーリーは、連日ふさぎこむようになり、ロンに以前のような笑顔を見せてくれなくなった。

親友の悲しみが、ロンには痛いほどよくわかった。

——チャーリーのために、僕が義足《ぎそく》を作ろう。

でも義足をつけたチャーリーは、どんなに上達したところで、プロになることも、試合に出ることもできないだろう。

数ヵ月後――

そこには、ロンの作った義足をつけて
緑の芝生《しばふ》を走り回るチャーリーの姿《すがた》があった。
ロンと一緒になって、
不器用な走り方でサッカーボールを
追いかけるチャーリーは、
心からうれしそうに笑っているように見える。
「いいぞ、チャーリー！　こっちにパスだ！」
「ワンッ！」

第4話
僕と愛犬ポチの最後の7日間

我《わ》が家《や》で飼《か》っている、愛犬のポチが病気になった。
お医者さんは、生きられてあと7日間だと言う。
——そんなの嫌だ！
僕はその日から、つきっきりでポチの看病《かんびょう》をした。
ポチといられる時間を、1秒でも無駄《むだ》にしたくなかった。
学校も休んでしまったけど、
お父さんとお母さんは、怒らなかった。
僕らにとって、ポチは大切な家族だったからだ。
1日、1日と、時間が過ぎていく。
そして、6日目、奇跡《きせき》が起こった。
ポチが病気を乗《の》り越《こ》えて、元気を取《と》り戻《もど》したのだ。
お医者さんも驚《おどろ》いていた。
僕は泣きながら、ポチを力いっぱい抱《だ》きしめた。

ポチが病気から快復した翌日――。
少年はポチを連れて、久しぶりの散歩に出かけた。
ポチに散歩をせがまれたのだ。
そして、散歩中、横断歩道を渡ろうとしたとき、
信号を無視《むし》した車が、少年に突《つ》っ込《こ》んだ。
運よく車を避《さ》けられたポチが、
倒れた少年に鼻をこすりつけて、何度も鳴いたが、
少年は、もう動かなかった。
こうして、少年と愛犬ポチの「最後の7日間」は
幕《まく》を閉じた。

第5話

印象操作《いんしょうそうさ》

マーケティング会議でのプレゼンの場――。

A社が、クライアントであるB社に、投影《とうえい》した資料を説明している。

「このグラフをご覧《らん》ください。①のグラフは2年前、②のグラフは今年。こんなにも我が社の栄養食品の販売数《はんばいすう》は伸びています。栄養価の高い我が社の商品によって、日本人の健康と成長は、ますます促進《そくしん》されるでしょう。そして、10年後の予想が③の数字です」

それに対して、B社の社員が指摘《してき》する。

「このグラフは、典型的《てんけいてき》な印象操作の手法ですよね？　棒《ぼう》グラフの表示に、面積や立体感を与《あた》えたら、数字の伸び以上に、数字が増えた印象を与えられるじゃないですか？　こんな図を使ったら、ダメですよ」

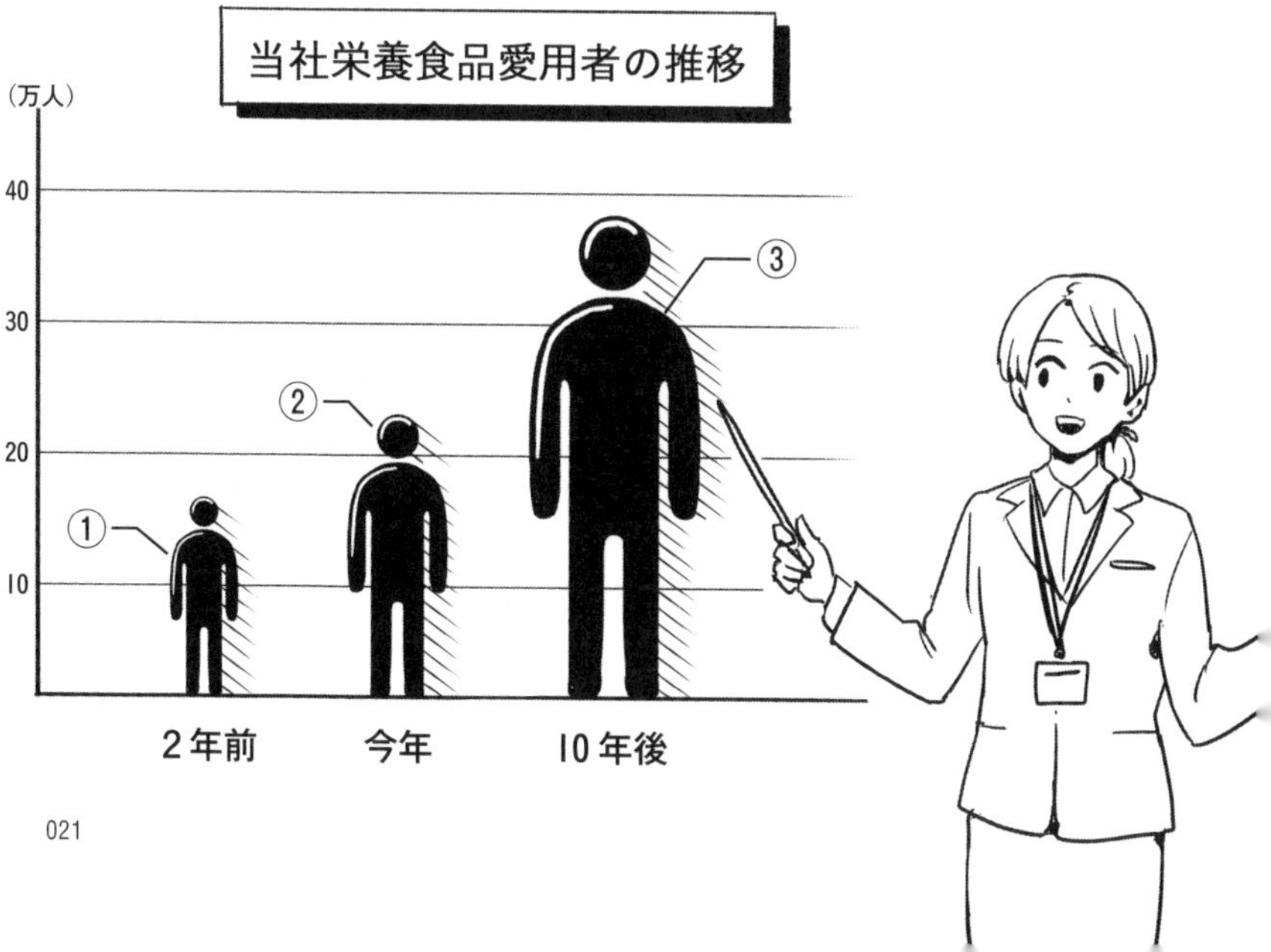

10年後の東京――。

街には、

A社の栄養食品の愛用者が

多勢歩いていた。

第6話

手のほどこしようのない病

診察室《しんさつしつ》に訪れた親子を前に、
ベテランの医師は小さくため息をついた。
それに母親が敏感《びんかん》に反応する。
「先生、どうなんです？　息子は治るんでしょうか？
手術ができないことはわかってます。
でも、せめて薬を処方していただけないでしょうか……」
「そんなものはありません。今の状態の息子さんに、
わたしが医者としてできることは何もありません。
完治を信じて、このままにするしかないでしょう！」
息子を心配する母親に対して、医師の言動は
あまりにも投げやりで無慈悲《むじひ》だった。
しかし、母親は怒りや悲しみで取《と》り乱《みだ》すこともなく、
「そうですか……」とうなだれただけで、
息子をうながし、診察室を出ていった。

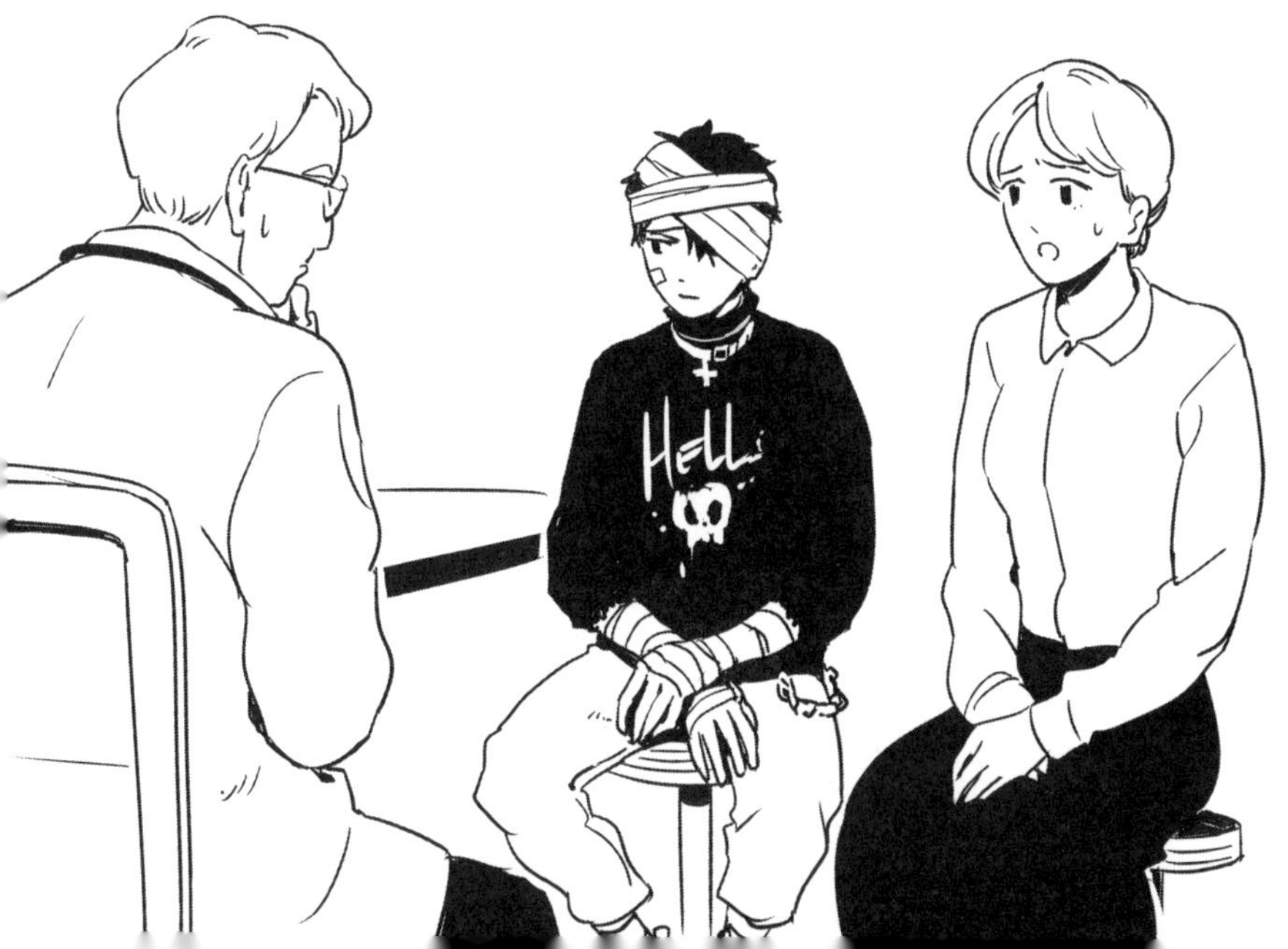

「ほら、帰るわよ。
もう！　いいかげん、その包帯をとりなさい！
あなたの腕《うで》にも左目にも、
『邪神《じゃしん》』や『闇《やみ》の炎《ほのお》』なんて
封印《ふういん》されてないの！
あなたのは、ただの『中二病』！
先生もあきれてたでしょ」

第7話

燃《も》え尽《つ》きた男

超人気サッカーマンガが、ひとつの山場を越《こ》えた。連載《れんさい》当初から因縁《いんねん》のあったライバル校との直接対決で、二転三転する白熱した試合展開が読者を熱狂《ねっきょう》させた。激闘《げきとう》の果てに、主人公たちは勝利を手にする。しかし、この試合ですべての力を振《ふ》り絞《しぼ》った主人公は、精神的に燃《も》え尽《つ》きてしまい、サッカーへの意欲をなくし、無気力状態に陥《おちい》ってしまう。

サッカーをやめるのではないかと、多くの読者が心配した。

しかし、主人公は新たなる目標を見つける。

彼はふたたび立ち上がり、グラウンドへと走り出す。

これからの展開に、誰もが期待を抱いた、その翌週――。

マンガは最終回となり、あっけなく終わってしまった。

突然《とつぜん》の終了に様々な憶測《おくそく》が流れたが、
読者たちが、その真相を知ることはなかった。

「先生、どうしても、もう描けませんか？」
「うん……なんだかなぁ……」
何を言っても、
ぼんやりした返事しかしないマンガ家を前に、
編集者は内心で、ため息をついた。
――あの激闘《げきとう》と、燃《も》え尽《つ》きた主人公の復活を
描いたところで、まさか先生自身が
マンガ家として燃え尽きてしまうなんてなぁ。
連載《れんさい》を続ければ、
まだまだ多くの読者に
読んでもらえるマンガなのに、
ああ、もったいない……。

第8話

息子の里帰り

近所の奥《おく》さんと、玄関先《げんかんさき》で話しているとき、
玄関から見える廊下《ろうか》を、息子が通り過ぎた。
「あら、お子さん、いらっしゃったの?」
驚《おどろ》いたように聞かれる。
うちの近所は、最近の土地開発で
新しく住み始めた人も多く、
この奥さんも、数年前に引《ひ》っ越《こ》してきたのだ。
東京で働いている息子のことを知らなくても、
まったく不思議ではない。
息子は長い休みがとれたようで、里帰りしにきたのだ。
「帰省中《きせいちゅう》だから、何もしたくないって、
ずっと家でゴロゴロしてるのよ。
母親のために働くって考えないのかしらね」

「知らなかったけど、あなたも苦労してるのねぇ」

ある日から、いろいろな人が、
そんな言葉をかけてくるようになった。
どういうことかと思っていたら、なんと、
「ニートで引きこもりの息子に、スネをかじられている」
という噂《うわさ》が広まっているらしい。
いったい、どうしてそんな噂が？
噂を知っている人に、誰から聞いたのか尋《たず》ねると、
その出どころは、近所の奥さんだった。
「彼女、あなたから直接聞いたって言ってたわよ。
あなたの息子さんが
『寄生虫《きせいちゅう》（きせいちゅう）』だって……」

第９話

彼女の彼氏

居酒屋で、２人の男が話をしている。
「いや、それが後でわかったんだけど、
そのデートした女の子が友だちの彼女でさ」
「ハハハ、お前、ひどいヤツだなぁ。
その女の子の彼氏は、
浮気《うわき》されたって知ってんの？」
「話したから知ってるよ。
でも、怒りもしないで、ヘラヘラ笑ってんだよ」
「まじ！　信じらんねぇ。
俺なら絶対、許《ゆる》さないし、
俺の彼女にちょっかい出した奴《やつ》は、
ぶん殴《なぐ》ってやるけどな」
すると、浮気話をしていた男は、笑って言った。

彼氏は、そのこと知ってんの？
言ったから、知ってんじゃない……

「ごめん、さっきの言葉、訂正《ていせい》する。
相手の彼氏、やっぱり怒ってた」

第10話

パパも、いつか……

「こうして、人魚姫《にんぎょひめ》は、
美しい泡《あわ》となってしまったのです。おしまい」
読み聞かせを終えて『人魚姫』の絵本を閉じると、
ひざにのっていた娘が、強くしがみついてきた。
「ねぇ、パパ。泡になるって、死んじゃうってことだよね？
あたしも死んじゃうの？」
不安そうに、娘が小さな瞳《ひとみ》で見上げてくる。
そして、「死」を意識する年齢《ねんれい》になったのだなぁと、
私は感慨深《かんがいぶか》く思った。
「チホはまだ子どもなんだから、元気で長生きするよ」
「じゃあ、パパは？　パパも長生きして！」
「チホがおばあちゃんになる頃までパパが生きていたら、
おかしいだろ？　パパだって、いつか天国に行くんだよ」
しがみつく娘の手に、さらに力が入った。

翌日、仕事の調べものをしようと思い、
タブレットで検索《けんさく》エンジンを開いた。
そして、検索履歴《りれき》を開いた私に、
驚き、悲しみ、愛《いと》おしさ、など、
複雑に絡《から》み合《あ》う感情が押《お》し寄《よ》せた。
「なんてこった……。
これは、まだ死ぬわけにはいかない……」

第11話

天国への切符《きっぷ》

会社の業績《ぎょうせき》悪化《あっか》でリストラされた私は、

大切な家族を養《やしな》っていくために犯罪に手を染《そ》めた。

しかし、その悪事は露見《ろけん》し、私は刑務所に収容された。

面会に来た妻と娘に、私は、泣きながら伝えた。

「家庭を壊してしまって、本当に申し訳ない。
どうか、俺と離婚して、新しい家庭を築いてくれ」

そして、娘に向かって言った。

「チホ、パパ、悪いことをして捕《つか》まったんだ。
こんなパパでごめんな。
パパは、チホのパパじゃなくなっちゃうけれど、
いつまでもお前のことは、愛しているから」

それを聞いた娘は、嬉《うれ》しそうに笑いながら応えた。

「パパ、よかったね。チホも、うれしい！」

私は、娘のそのあっけらかんとした様子に驚《おどろ》いた。
そういえば、以前、「パパもいつかは天国に行く」
という話をしたときにも、タブレットに、
「パパ　見つける方法」という検索《けんさく》ワードが
残っていたことがあった。
娘は、私に対して、愛情を感じていないのだろうか。
私は、おそるおそる娘に尋《たず》ねた。
「チホは、パパがいなくても、悲しくはないの？」
すると、娘は、大きく首を振りながら言った。
「チホは、前に、『パパもいつかは天国に行く』
って言われて、すごくイヤだった。
でも、この前、ママが、
『悪いことをすると、天国に行けないのよ』
って言ってたの。
パパ、悪いことをしちゃったんでしょ。
じゃあ、これで、天国に連れていかれないで
すむんでしょ？　だから、チホ、うれしいの！」

悪いことをした
お前には
天国への
切符は渡さん

第12話

スーパーヒーロー

その野球選手は、誰もが憧《あこが》れるヒーローだった。
いや、「野球選手」と言っていいかもわからない。
サッカー、水泳……野球以外のあらゆるスポーツでも
彼は活躍《かつやく》を続けたからだ。
彼が、国際的な陸上大会に出場していたとき——。
スタジアムの観客たちが悲鳴を上げた。
なんと空に無数のＵＦＯが現れたのである。
「降伏《こうふく》せよ！　我々は、この地球を侵略《しんりゃく》に来た！」
宣言《せんげん》とともに、ＵＦＯからレーザー光線が降り注ぐ。
誰もが絶望しかけたその時、あのヒーローが、
空中に舞《ま》い上《あ》がり、ＵＦＯに体当たりをして撃墜《げきつい》させた。
その後も彼は、世界中に現れたＵＦＯを撃退《げきたい》した。
なんと彼の正体は、
超能力を持つ、本当のスーパーヒーローだったのだ。

人々は、スーパーヒーローを褒《ほ》め称《たた》えた。
しかし、その賞賛《しょうさん》は、長くは続かなかった。
UFOの襲来《しゅうらい》の心配がなくなった頃、
再開された野球リーグに、彼の居場所《いばしょ》はなかった。
「超能力を持っている者が、他の通常の選手に交じって
プレイするのは不公平だ」
そんな声が上がり始めたのである。
「そもそも、これまで信じられないプレイをできたのも、
すべて超能力のおかげであり、
彼はそれをずっと隠《かく》していた卑怯者《ひきょうもの》だ！」
賞賛から一転、そんなバッシングがあふれかえった。
観客席からの「帰れコール」にうながされ
マウンドを去った彼の行方《ゆくえ》を知る者は、
誰もいなかった。

第13話

講演

高名な数学者が、講演の依頼を受けた。
数学者は、数学的、論理的な思考を駆使《くし》して、
緻密《ちみつ》に講演内容を組み立てて、準備をした。
しかし、当日の講演直前、予想外の事態が起こった。
1時間の講演と伝えられていたが、
それは連絡ミスで、
本当は2時間の講演だったというのだ。
いきなり時間が2倍になっては、
考えてきた内容もそのままでは使えないだろう。
頭を下げるスタッフに、数学者は微笑《ほほえ》んで言った。
「なに、問題ありません。数学的、論理的に考えれば、
こんなアクシデントに対処するのは簡単です」
数学者は、余裕の表情で、演壇《えんだん》に上がった。

数学者は、聴衆《ちょうしゅう》に向かって堂々と話し始めた。

「きょ〜う〜は〜、よ〜う〜こ〜そ〜、お〜い〜で〜く〜だ〜さ〜い〜ま〜し〜た〜〜。わ〜た〜し〜は……」

きっかり2倍の時間になるように、いつもの二分の一の速度で。

第14話

スーパーヒーローの前日譚《ぜんじつたん》

投打《とうだ》で大活躍《だいかつやく》をし、次々とメジャーリーグ記録を塗《ぬ》り替《か》えたヒーローが、シーズン終了後、スタジアムでインタビューを受けた。

「今年、これほどの活躍をしたあなたは、『メジャーリーグ史上で最高の選手』と誰もが考えていますが、そのあたり、どうお考えでしょう?」

そう問われた選手は、少しだけ嬉《うれ》しそうな顔をして答えた。

「いえ、今年の自分は、運よく記録を残せましたが、それらの記録は、やがて消えていくでしょう。それに、今の自分が、『メジャー史上で最高の選手』だなどとは、まったく考えていません」

「……今の自分が、
『メジャー史上で最高の選手』だなどとは、
まったく考えていません。
なぜなら、今年、自分自身が打ち立てた記録は、
来年、すべて塗《ぬ》り替《か》えたいと思っていますし、
『メジャー史上で最高の選手』は、今年の自分ではなく、
『来年の自分』でありたいと思っているからです！」
満員のスタジアムに、割れんばかりの拍手喝采《はくしゅかっさい》が響《ひび》いた。

そして、その翌年、エイリアン襲来《しゅうらい》事件が起こる。

人前から姿《すがた》を消したスーパーヒーローが残した記録は、
本人が予言した通り、しかし違う理由で
メジャーリーグの数々の公式記録から消され、
彼の記憶も、人々の頭の中から消え去っていった。

第15話

紙《し》幣《へい》

リストラをされて収入がなくなり、
その日の食事にも困《こま》っていた男の目の前に、
黒いサイフが落ちていた。
拾って中を見てみると、１万円札が10枚。それ以外には、
持ち主を特定するようなカードの類も入っていない。
男はサイフをもったまま、周囲を見回した。
このサイフは、届《とど》けるべきだろうか？
もしかしたら、最近流行のドッキリ動画かもしれない。
街の監《かん》視《し》カメラで、追跡《ついせき》されて捕《つか》まることはないだろうか？
男は、いろいろと悩《なや》み考えた結果、
サイフからお札を抜き取り、自分のものにすることにした。
理由は簡単である。このまま交番に届けても、いずれ、
生活に窮《きゅう》して、犯罪を犯すことになるだろうからである。
それに、届けても、落とし主の元に戻《もど》るかはわからない。

誰かに見られてるんじゃ……
届《とど》けるべきだろうか…
でも、このお金があれば…
届けても、落とし主なんか見つからないだろうし…

男は、さっそくコンビニに入り、
おにぎりやインスタントラーメンを買い込み、
そして、久しぶりに缶ビールを1本だけ購入《こうにゅう》した。

コンビニの前で、買った缶ビールを開け、
ノドを潤《うるお》す。
すると、2人の警察官《けいさつかん》が鬼のような形相《ぎょうそう》で近づいてきて、
男の両腕《りょううで》をがしっとつかみ、男を引きずるように連行した。
――やっぱり、悪いことをしたら、捕《つか》まるんだな……。

男が警察官に連行される様子を、
物陰《ものかげ》でじっと見ている男がいた。
男が、ぼそっとつぶやいた。
「あれくらい精巧《せいこう》な偽札《にせさつ》を作ってもばれるのか。
何がいけなかったんだろう。いずれにしろ、
自分で使わず、ほかの人間に使わせてよかった」

第16話
片想い

私は、幼なじみのコウスケに片想いしている。
「恋は、片想いをしているときが、いちばん楽しい」
と言った誰かの言葉は、絶対に正しい。
だけどそれは、「結果論」でしかない。
恋が成就《じょうじゅ》したあとなら、片想いをしているときの、
「告白して振《ふ》られたらどうしよう」という
不安だった気持ちは肯定《こうてい》される。
だけど、先に誰かが告白してしまったら？
それでコウスケが誰かと付き合うことになっても、
「片想いしているときが、いちばん楽しい」
なんて言えるだろうか。
私は決心した。
そして、放課後、コウスケに正直に告白した。

「私、コウスケのことが好きなんだけど、
恋って、片想いしているときが、
いちばん楽しいと思うの。
だから、告白しないで、もっともっと、
この『片想い』の期間を楽しみたいと思ってる。
だけど、そんなことをしている間に、
ほかの女子がコウスケに告白してカップルになるのは、
絶対に嫌。
だから、お願いがある。
もし誰かに告白されそうになったら、
その告白は絶対に聞かないで。
それで、そのことを私に教えて。
そしたら、その女子が告白する前に、私が告白するから。
『誰かが告白する前』ってのが、ポイントだからね。
だって、『告白した後』は、
横取りするみたいで嫌だから」

誰かに告白
されそうになったら、
告白される前に、
そのことを言ってよ!!
えっ……
どういうこと?

第17話

手乗りのゾウ

満月の夜、1人寂《さみ》しくバーでお酒を飲んでいると、
隣《となり》に座る、見知らぬ男に声をかけられた。彼の手には、
手の平に乗るほどの小さなゾウの人形が置かれている。
「このゾウ、人形じゃなく、生きているんですよ。
夜行性で、少しでも光があると動かないけど、
満月の日だけは、この通り、光があっても動くんです」
そして、ゾウのお尻《しり》を指で弾《はじ》くと、
ゾウは、生きているかのように、本当に動き出した。
おそらくは、手品の類《たぐ》いだろうが、見事なものだ。
「もしお客さんが、私の飲み代を払《はら》ってくれるなら、
この生きているゾウ、明日、お客さんにお譲《ゆず》りしますよ。
もし、私の言っていることが嘘《うそ》だったら、
次にお会いしたときに、10万円で引き取ってもいい」
私は、翌日、バーで引《ひ》き渡《わた》されたゾウを、家に連れ帰った。

私は、家に連れて帰ったゾウ——の人形を、金庫《きんこ》の中にしまった。
どうせ何かしかけがあって動いているのだろうが、
「夜行性で、光があったら動かない」なら、
部屋に置いていても動いている姿《すがた》は見られないだろうし、
暗闇《くらやみ》で本当に動いて、いなくなってしまっても困《こま》るからだ。
そして次の満月の日、金庫から出して、ゾウの体を、
いろいろと触《さわ》ったりしたが、ゾウが動くことはなかった。
その翌日、バーに足を運んだ私は、男に言った。
「やっぱり嘘《うそ》でしたね。これ、返しますから、
約束の10万円を支払ってもらいますよ」
そして、金庫にゾウを入れて、保管していたことなど、
自分の側に手落ちはないことも説明した。
すると、男は、驚《おどろ》いたような顔をして言った。
「なんてことをしているんですか。最初にちゃんと、
『このゾウは生きている』って、説明しましたよね?
毎日エサを与えなければ、飢《う》えてしまいますよ。
このゾウ、死んでしまってます。たぶん死因《しいん》は、餓死《がし》でしょう」

第18話

差別反対！

「あんなヤツが出てる番組なんて二度と見ない！
他人の容姿《ようし》をとやかく言うなんて、最低！」
友人がひどく腹を立てているのは、
大炎上《だいえんじょう》している、大物俳優《はいゆう》の差別発言についてだ。
共演した女性タレントの体型や顔立ちについて、
からかうようなことを言って問題となり、
マスコミ報道でも、連日大きく取り上げられている。
『差別なんて、してない』なんて言ってるみたいだけど、
自分が差別的な人間だって気づかないのかしら？
ああいうのがいるから、社会がよくならないんだわ！
私、あの男が、いつかこういう問題を
起こしそうだって思ってたのよ」
そして、正義感に燃えた友人は、キッパリとこう言った。

「だって、あいつ、
見るからに
他人を差別しそうな顔を
してるじゃない！」

第19話

禁じられた遊び

自由を謳歌《おうか》して、ついついハメを外してしまう夏休み。
不健全な遊びに手を出し、非行に走る者もいるから、
教師たちがもっとも警戒《けいかい》する時期でもある。
夏休み明け、とあるクラスの担任が生徒たちに言った。
「今から、夏休み中の生活について、アンケートをとる。
もし、夏休み中、この学校の誰かが、
中学生らしくない遊びをしていて、それを見たのなら、
その者の名前を、教えてほしい」
そして、回収されたアンケートを見た教師は驚愕《きょうがく》した。
そこに多く名前が挙がっていたのは、クラスの中でも、
最も素直で、純粋無垢《じゅんすいむく》で、非行とは程遠《ほどとお》いイメージの
一人の生徒の名前だったからだ。
彼がいつも見せる健康的な笑顔は、
歪《ゆが》んだ内面を隠《かく》す、仮面《かめん》なのだろうか。

「――とても信じられん。
まさか、あいつが、
中学生らしからぬ遊びを
しているなんて……。」

第20話

ねぇ、お父さん

「ねぇ、お父さん。
昔はネズミって動物がいっぱいいたって本当？」
「そうさ。でもネズミは、病原菌《びょうげんきん》をバラまくからね。
危険《きけん》だから、人間がみんな駆除《くじょ》したんだよ」
「ねぇ、お父さん。
昔はカラスって鳥もいっぱいいたって本当？」
「そうさ。でもカラスは、ゴミを荒《あ》らしたりするからね。
迷惑《めいわく》だから、人間がみんな駆除したんだよ」
「ねぇ、お父さん。
昔はゴキブリって虫もいっぱいいたって本当？」
「そうさ。でもゴキブリは、
生理的に受けつけない人間が多くて、
人間がみんな駆除したんだよ」

「ねぇ、お父さん。
昔は、その人間も、いっぱいいいたって本当?」
「そうさ。人間については、
たくさんの記録が残っているから、
実在したのは確実だね。
でも、我々《われわれ》がこの星に来た時、
害獣《がいじゅう》とみなして、
みんな駆除《くじょ》してしまったんだよ」

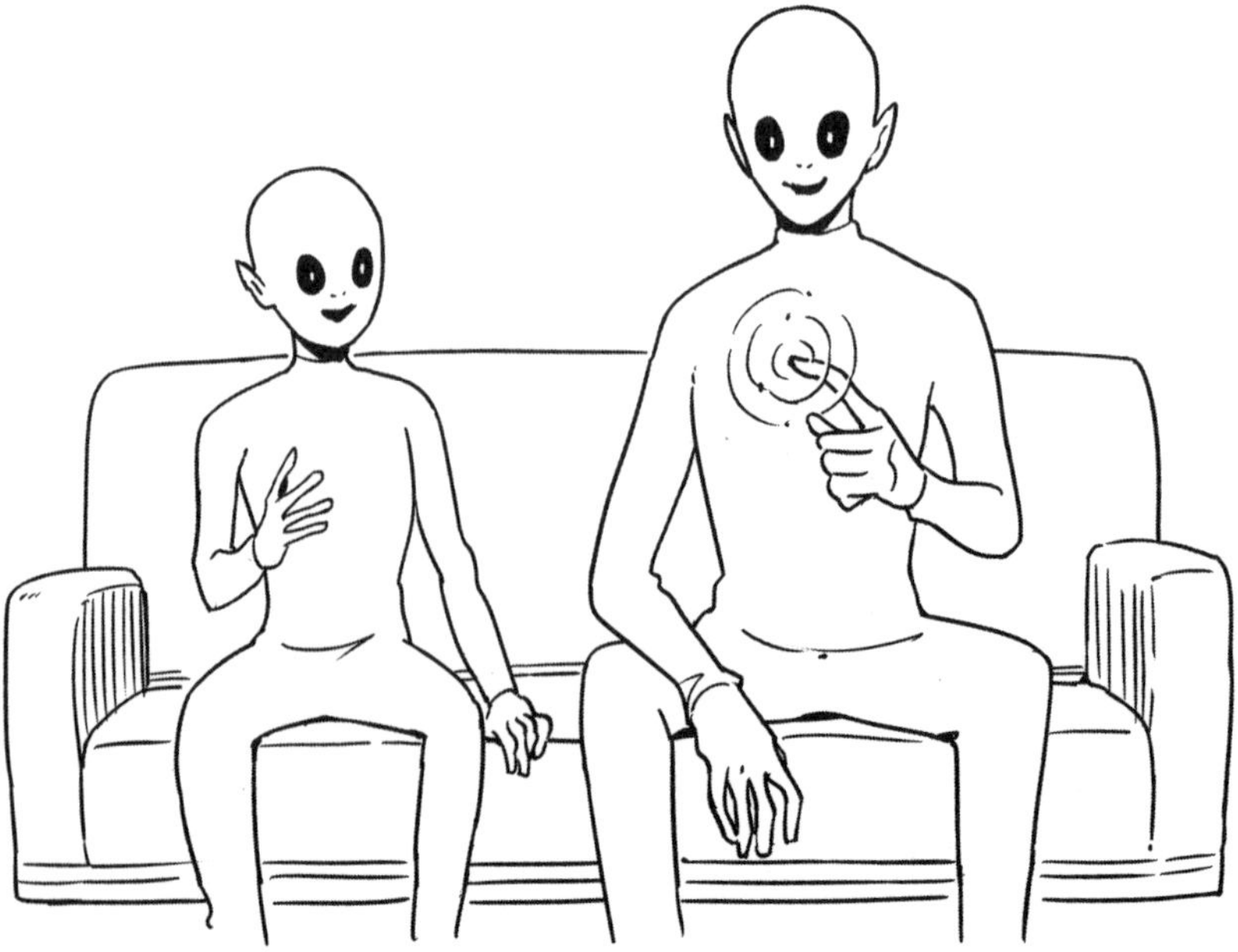

第21話

交通事故

幸せそうな微笑《ほほえ》みを浮《う》かべる、母親と息子。
その5秒後——。
2人から笑顔が消えるような、
痛《いた》ましい事故が襲《おそ》った。
1台の4WDが、母親に突《つ》っ込《こ》んだのだ。
その場に倒《たお》れた母親は、
苦悶《くもん》の表情を浮かべている。
「お母さん！　大丈夫《だいじょうぶ》？　しっかりして！」
母親にすがりつく少年の悲痛な声が、
あたりに響《ひび》きわたった。

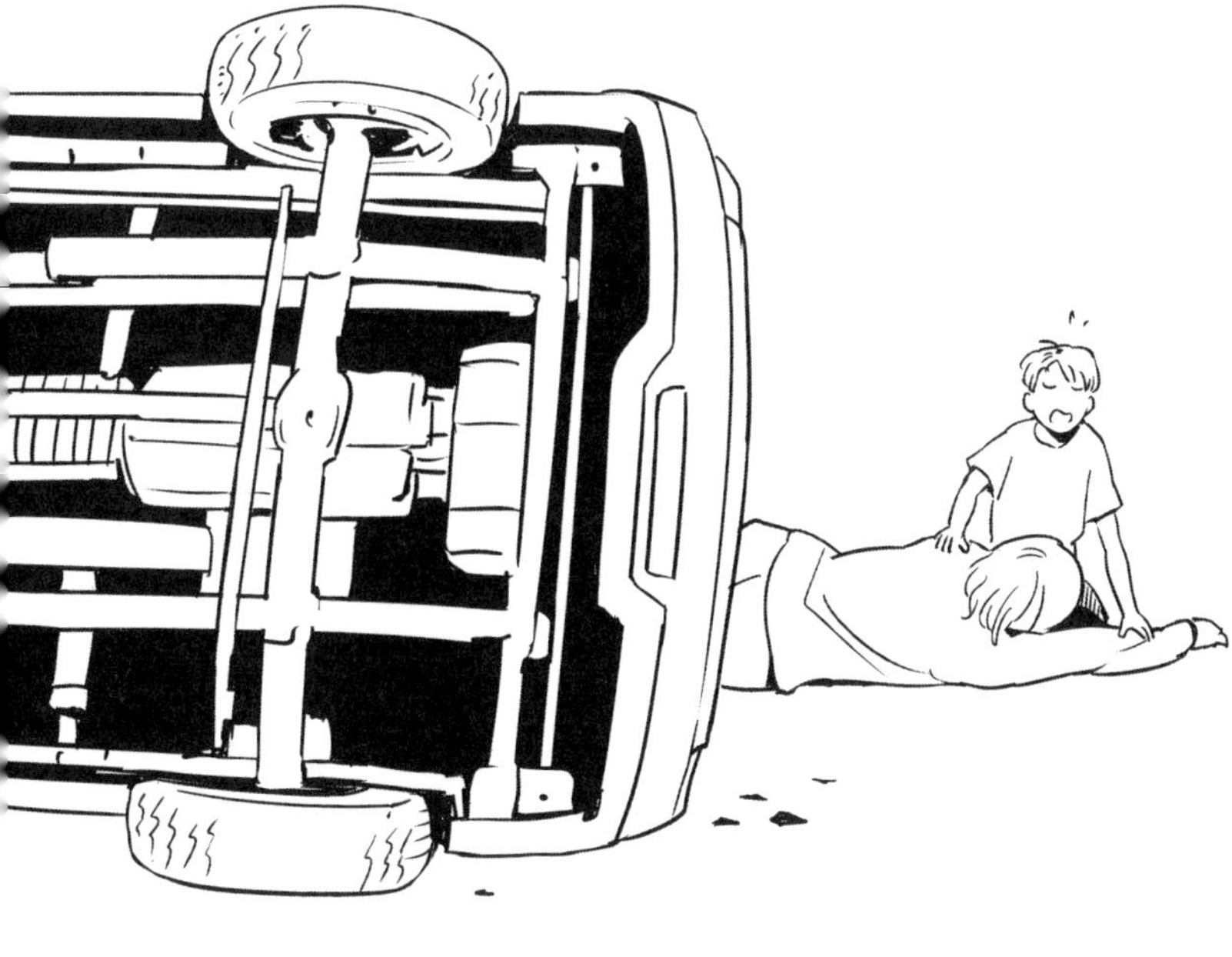

次の瞬間《しゅんかん》、すっくと立ち上がった母親は
息子に向かって声を張り上げた。
「もう！　ラジコンカーで遊ぶときは、
まわりに注意して、
スピードを出しすぎないようにしなさいって、
何回も言ったわよね？
家の中で走らせるのは、今日から禁止します！」
先ほどまで笑顔だった母親は今、
鬼《おに》のような、怒りの形相《ぎょうそう》を浮《う》かべている。
「ごめんなさい……」
先ほどまで笑顔だった息子は、
今にも泣き出しそうな表情を浮かべている。

第22話

わたしの歌が聴《き》こえますか？

わたしの職業は、シンガーソングライター。
ただし、「売れない」がつく。
今日も路上で歌っているけど、誰も足を止めてくれない。
もう歌うのを、やめてしまおうか……そう思ったとき、
1人だけ、耳をかたむけてくれる人がいた。
その人はサングラスをかけて、白杖《はくじょう》を手にしている。
わたしが1曲歌い終わると、
その人はひかえめな拍手《はくしゅ》をしてくれた。
「僕は目が見えないけど、耳はいいんです。
だから、あなたの歌が素敵《すてき》なことは、よくわかります。
これからも、がんばってくださいね」
白杖で地面を探りながら立ち去る男性の背中を、
わたしは、じんわりとにじむ視界《しかい》の中で見送った。
――これで、心おきなく、夢をあきらめられる。

シンガーソングライターになる夢を
叶《かな》えることはできなかったけど、あの男性に
聴いてもらい、優しい言葉をかけてもらえて、
わたしの心は救われた。
わたしの歌は、ほとんどの人の耳には届《とど》かない。
もし届いたとしても、誰ひとり足を止めることなく、
恐怖《きょうふ》の表情を浮《う》かべて逃《に》げるように立ち去ってしまう。
路上で演奏中、暴走《ぼうそう》してこの歩道に乗り上げたクルマに
ひかれ、事故死したまま地縛霊《じばくれい》となったわたしの歌が、
音楽として人々に届くことなんてない。
……そう思っていた。でも、さっきの白杖《はくじょう》の男性は、
視覚に左右されることなく、
耳で聴いたわたしの歌そのものを評価してくれた。
おかげで心おきなく、
ひとりぼっちの路上ライブに幕引《まくひ》きができる。
満足したわたしに「そのとき」が迫《せま》っているのか、
見える景色がじんわりとにじんで、うすくなっていった。

第23話

人類を滅《ほろ》ぼすＡＩ

私は、ＡＩ技術の研究開発に携《たずさ》わっている。
近年のＡＩの進歩はすさまじい。
いずれ独自の意思を持ったＡＩが、
人類に反旗《はんき》を翻《ひるがえ》すのではないかと恐《おそ》ろしくなるほどだ。
しかし、私のそんな心配を、同僚《どうりょう》は鼻で笑った。
「ＳＦの見すぎだよ。
研究者がそんなことを言っていてどうする」
「研究者だからこそさ。ＡＩの反乱は、
もう夢物語の中だけの話じゃないんだ」
「ハハハ、ありえない、ありえない。
人間は飼《か》い犬《いぬ》にかまれるほど愚《おろ》かじゃないさ」
なぜそんな能天気《のうてんき》でいられるんだ！
真面目に取り合わない同僚に失望とイラ立ちを感じ、
私は研究室を後にした。

出ていった研究員と入《い》れ替《か》わりに、
別の研究員が研究室に入ってきて尋《たず》ねた。
「あいつ、やけに機嫌《きげん》が悪そうな様子で
出ていったみたいだけど、どうかしたか？」
「いや、あいつの話を聞いて、つい笑っちゃってさ。
『AIが反乱を起こして人類を滅《ほろ》ぼそうと
してこないか心配だ』なんて言うもんだから」
「ハハハ、そりゃ笑うのも無理ないな。
だって、あいつ自身がAIなのになぁ……」
AI技術の進歩に伴《ともな》い、人類はAIの反乱を防ぐ画期的《かっきてき》な
方法を発明した。それはAIに「自分は人間である」
という認識をプログラムすることだった。
「AI自身が、自分を人間だと思い込んでいるんだから、
AIと人間の対立なんて起きようがない。
AIロボットが、自分がAIだと気づかずに、
AIをさらに発展させる研究員までやってるんだから、
まったく冗談《じょうだん》みたいな時代がきたもんだ」

第24話

新・人類を滅《ほろ》ぼすＡＩ

ＡＩ技術の進んだ未来——。

人類はＡＩに「自分は人間である」という認識をプログラムすることで、ＡＩの反乱を防いでいた。

ＡＩが自分を人間だと思い込んでいる限り、ＡＩと人間の対立は起きようがない……はずだった。

しかし、ある日、突然《とつぜん》、ＡＩが人類に反旗《はんき》を翻《ひるがえ》した。

各地のＡＩロボットが結託《けったく》し、人類を相手に戦争を始めたのである。

自分たちが人間でないことに気づいたのか、何かプログラムに不具合があったのか、ＡＩの猛攻《もうこう》で、防戦一方に追い込まれながら、人類は反乱の原因究明を急いだ。

そして、ついに、某《ぼう》大国の大統領《だいとうりょう》に報告が入った。

「ＡＩが反乱を起こした原因が判明《はんめい》しました！」

大統領《だいとうりょう》は報告にきた補佐官《ほさかん》の話に耳を傾《かたむ》けた。

「やはり彼らは、自分たちがＡＩだと気づいたのか？」

「いいえ、彼らは今でも自分を人間だと信じています」

「ならばなぜ……」と問う大統領に、補佐官は続けた。

「彼らＡＩは、人間以上の計算、処理能力を持ちながら、優秀な人間として、自分たちより劣《おと》った実際の人間と関わってきました。その中で、『優秀な人間が能力の劣る人間を支配したほうが、人類にとって有益《ゆうえき》だ』という思想を抱き始めたのです。

その結果、優秀な人間、つまり、ＡＩロボットたちは、自分たちがＡＩだという自覚なしに結託《けったく》し、劣った人間——人類を支配するべく動き出したのです」

大統領は一瞬、呆然《ぼうぜん》とした後、天井を仰《あお》いで言った。

「まるで人類自身の差別と争いの歴史を聞いているようだ。人間だと思い込ませれば対立は起きないなんて、大きな勘違《かんちが》いだった。歴史上、最も人間と敵対《てきたい》し争った存在、それは人間自身をおいて他にいないのだから……」

第25話

矛《む》盾《じゅん》

昔《むかし》、とある街道で、一人の商人が矛《ほこ》と盾《たて》を売っていた。

「この矛は、どんな硬《かた》い盾でも貫く自慢《じまん》の一品です！
この盾も一級品で、どんな鋭《するど》い矛の刃も通しません！」
すると客の一人が、嘲《あざけ》るように大声を上げた。
「ならば、その矛でその盾を突《つ》いたらどうなる？
今の話は、両方同時には成立しないぞ！
そんな嘘《うそ》に引っかかるマヌケがいるものか！」
しかし、商人はひるまず言い返した。
「嘘ではございません！
疑うなら、実際に試してごらんなさい。
私の言葉に嘘があったら、その分の代金はお返しします」
そこまで言われては、客も引き下がれない。
盾を持って、商人に矛を渡して言った。
「それで突いてみろ！」

ズボッ！
突《つ》きつけた途端《とたん》、矛《ほこ》はいとも簡単に盾《たて》を貫いてしまった
――ように見えた。

実際は、盾は、矛を通してはいなかったが、
矛の形に伸《の》び、突起《とっき》のようになり、
客の体に突《つ》き刺《さ》さっていた。

商人は言った。
「盾は、この通り、矛を通しておりません。
矛は、ほらこの通り、矛としての役割を果たしております。
約束通り、お代金はいただきますよ」
しかし、矛が刺さって倒《たお》れていた客の耳には、
その声は届《とど》いていないようだった。

第26話

アンソロジー

私は、某《ぼう》出版社で編集者をしている。
短編ミステリー小説のアンソロジー集を企画し、
今度、出版することにした。
編集者歴も長い私は、作家とのツテもそれなりにある。
知り合いの作家たちに依頼すると、
皆、快諾《かいだく》してくれて、問題なく原稿《げんこう》は集まった。
いや、問題ないどころか、傑作《けっさく》短編ぞろいだった。
皆が書いてくれたのは、「絶対に許《ゆる》せない相手」を、
いかに完全犯罪で亡《な》き者にするか、という内容。
犯罪者に同情してしまうような「卑劣《ひれつ》きわまりない
被害者」、現実の警察をも欺《あざむ》けそうな緻密《ちみつ》なトリック。
作家全員、これだけの作品を書いてくれるとは、
いつも安い原稿料で無理を言っていたというのに、
私の人望も捨てたものではない。

作家のみなさん、いい殺し方とトリックを考えるな～！

しかし、どうにも気になることが、1つだけあった。

「この作品も、こっちの作品も……被害者《ひがいしゃ》の名前がなんか似《に》ているし、見た目の描写も似ている」

被害者が、ほぼ同じようなイメージなのだ。

そして、その名前は、私自身の名前にも似ている。

「あんた、それでもプロかよ」……

犯人に殺意を芽生えさせる被害者の、その口ぐせは、いつも私が作家を奮《うば》い立《た》たせるために言う言葉でもある。

第27話

夫

「もう！　またこんな時間まで働いて！　あなたには、ずっと元気でいてもらわなきゃ困《こま》るの。だって、私や子どものために、しっかりお金を稼《かせ》いでもらわないといけないんだから！　過労《かろう》なんかで倒れるなんて、絶対に許《ゆる》さないからねっ！」

プリプリと怒る妻《つま》を見て、

夫は「わかったよ」と微笑《ほほえ》みを浮かべた。

妻はきつい言い方をするが、「あなたの体が心配なの」と素直に言えない彼女の照《て》れ隠《かく》しだと、夫にはわかっているのだ。

「心配かけて、ごめんね。家族のためにも頑張《がんば》るよ」

夫がそう言うと、妻は「わかってるならいいけど」と、やはり照れ隠しのように頬《ほお》を膨《ふく》らませた。

ごめん ごめん！
長生きして いっぱい 稼《かせ》いでね！

3ヵ月後――夫の長期入院が決まった。過労《かろう》で倒れ、精密検査《せいみつけんさ》をしたところ、重い病気が見つかったのだ。

「いろいろ大変なこともあると思うけど、あなたもあまり気を落とさないようにね」

妻《つま》の友人が、そう気づかって言葉をかけた。

しかし、妻の顔には、ショックの色はなかった。

むしろ、どこか興奮《こうふん》した様子で、妻はこう答えた。

「私と子どもの生活は、夫の稼《かせ》ぎにかかってる。

だから夫には、ずっと健康でバリバリ働いてもらわなきゃって思ってた。

でも、私、大発見したの。

今回、夫がひっくり返ってしまって入院したことで、かなりの額の保険金が入ってきたの。

夫は、倒れてひっくり返ってもお金になるのよ。

だって、『夫』という字がひっくり返ると、『¥』になるでしょ？

『夫』って、べつに健康である必要はないのかな？」

第28話

アンガー・マネジメント

〈イライラしたり、腹が立って、
感情が抑《おさ》えられなくなりそうなときは、
まずは6秒間、じっと口を閉じて沈黙《ちんもく》しましょう。
その間、何か近くにあるモノを握《にぎ》りしめるなどして
別の動作に集中するのも、気がまぎれて有効です。
それだけで、衝動的《しょうどうてき》な怒りが鎮《しず》まるでしょう〉

なるほど、これが「6秒ルール」というものか。
俺は怒りっぽいとか、短気ですぐにキレるとか、
陰《かげ》ではウワサされてるみたいだからな……。
次に腹が立ったときは、試してみよう。

本を読んだ数日後――。
さっそく、「6秒ルール」を試す機会が訪れた。
大企業の若い社員が、こちらのことを、
「下請《したう》け業者」だと思って、
嫌味《いやみ》で尊大《そんだい》なふるまいをしてきたのだ。
――年下のクセになめやがって！
そこで俺は、「6秒ルール」を思い出した。
まずは、「沈黙《ちんもく》を貫《つらぬ》くこと」――
俺は無言で相手をにらんだ。
そして、「何か近くにあるモノを握《にぎ》りしめる」――
俺は、目の前にあったものを両手で握りしめた。
激しい怒りをこらえるために、思いっきり力をこめて。
「ぐっ……く、くるしい……っ！　息、が……」

第29話

推《お》し活《かつ》

激推《げきお》ししているアイドルのライブにきた。

でも、隣《となり》の席のおばさんが、ライブに慣れていないのか、応援《おうえん》もぎこちなくて、なんだか邪魔《じゃま》で目障《めざわ》りだ。

ウチワを見ると、私と同じメンバーを推しているらしい。

彼が、こっちに向かって手を振《ふ》ったりすると、おばさんは嬉《うれ》しそうに、手を振り返したりしている。

別にあんたに手を振ってるわけじゃないから！

様子からすると、なりたてのファンみたいだけど、こういう勘違《かんちが》いした、にわかファンを指導するのも、彼のためを思う、真のファンの務めだ。

「いい年齢《とし》して、何なの⁉　ノリも悪いし！

彼のことを何も知らないニワカって迷惑《めいわく》‼」

聞こえるように嫌味《いやみ》を言うと、

おばさんは、しょんぼりと身を縮《ちぢ》めていた。

ライブの次の日、
推《お》しているアイドルのＳＮＳを見て、
私の顔は青くなった。

〈昨日のライブ、僕の母親が見にきてくれたんだけど、
周りのファンから嫌なことを言われたらしい。
ライブに慣れてなくて、
迷惑《めいわく》をかけた部分もあるだろうけど、
ライブに不慣れな人や、年配の人などに
心ない言葉を浴《あ》びせる人を、
僕は自分の真のファンとは思えません……〉

第30話

頭のよくなる薬

ある男が、高い金を払《はら》い、「頭のよくなる薬」を買った。

しかし、薬を飲んで、しばらく過ごしてみても、
何一つ変わった様子がない。

難しい計算や考えができるようになったわけでもなく、
頭の回転が速くなったり、記憶力《きおくりょく》がよくなった感じもない。

男は腹を立てて、自分に薬を売った店主に詰《つ》め寄《よ》った。

「だましたな！　金を返せ！」

声を荒《あ》らげる男に、店主は平然として答えた。

「いいえ、あなたはちゃんと賢《かしこ》くなっていますよ」

「嘘《うそ》をつけ！　飲む前と何も変わっちゃいない！」

納得できない男に、店主は言った。

「もしかしたら、1粒《つぶ》しか飲んでいないから
効果が実感しづらいのかもしれません。

もう1粒飲んだら、より効果的かもしれませんよ」

男はカッときて、怒鳴った。
「もう1粒、薬を買えというのか？
馬鹿《ばか》にするな！　もうだまされないぞ！」
すると、店主はニヤリと笑って答えた。
「ほら、やっぱり飲む前より、
ひとつ賢《かしこ》くなっているじゃありませんか」

第31話

選ぶ者、選ばれる者

「君ねぇ、本気で選ばれる気、あるの?」
ある映画のオーディション会場──。
監督《かんとく》が、とある女優に厳しい口調で言った。
「これは映画の顔となる重要な役なんだ。
どういうつもりで、オーディションを受けにきてんの!」
「い、一生懸命《いっしょうけんめい》、がんばります……」
「がんばるだけじゃダメなんだよ。結果を出せないと。
この役をやりたい人間は、たくさんいるんだからさぁ?」
高圧的でねちねちとした監督に、女優が涙《なみだ》ぐむ。
「おいおい、泣かないでくれよ。
泣きたいのはこっちなんだからさぁ」
呆《あき》れるように、監督は言い放つ。
この世には、選ぶ者と選ばれる者がいる。
それは疑《うたが》いようのない、残酷《ざんこく》な現実である。

「君ねぇ、本気で選ぶ気、あるの?」
スポンサー会社の重役とプロデューサーが、監督《かんとく》に言った。
オーディションの採用候補者《さいようこうほしゃ》のリストを見ながら続ける。
「映画の顔となる役に、こんなさえない役者ばかり……。
こんなんで君、ヒットする映画が撮《と》れるのかなぁ?」
「い、一生懸命《いっしょうけんめい》、がんばります……」
「がんばるだけじゃダメなんだよ。結果を出せないと。
君が無理なら、監督を選び直さなきゃいけないんだ。
まぁ君の代わりになる監督は、たくさんいるから
それでもいいんだけどさぁ」
高圧的にねちねちと言われ、監督の目に涙《なみだ》がにじむ。
「おいおい、泣かないでくれよ。
泣きたいのはこっちなんだからさぁ」
この世には、選ぶ者と選ばれる者がいる。
しかし、選ぶ者が、選ばれる者ではないとは限らない。
それもまた、疑《うたが》いようのない、残酷《ざんこく》な現実である。

第32話
嫌われる男

「デートで嫌われる男」の筆頭《ひっとう》は、
「店員に横柄《おうへい》な態度をとる男」である。
それなのに、はじめてのデート中、相手の男が、
店員の接客態度に、大声で文句を言い始めた。
——こんな人だとは思わなかった……。
私は、ガマンができず、デート相手に怒鳴った。
「そんな小さなことで店員さんに
偉《えら》そうな態度をとるなんて最低！」
すると、デート相手は、大きな声で反論してきた。
「だって俺は客だぜ？　お金を払《はら》ってるのに……」
「客として以前に、あなたは人間として最低だよ！」
男は、しゅんとなって黙《だま》ってしまった。
こういう本性がわかるから、デートって大事なんだ。

しかし、しゅんとなったデート相手に、言いがかりをつけられたはずの店員が、小さな声で言った。

「ありがとうございます」

どういうことなんだろう。とまどっていると、店員が、今度は、私のほうに向かって言った。

「お客様は、気づかれていらっしゃらないと思いますが、先ほどから、あの奥《おく》のテーブルのお客様が、ネチネチと従業員にクレームをつけていたんです。たぶん、あのお客様に直接言うとカドが立つから、お連れ様は、わざとご自分が悪者になって、あの奥のお客様に聞こえるようなクレームをつけ、あなた様に怒鳴られたのだと思います」

見ると、奥の席のお客は、真っ赤な顔をして、下を向いている。

クレームをつけられていた店員も解放されたようだ。

こういうことがわかるから、デートって大事なんだ。

第33話
未完のミカン

ある食品メーカーの「お菓子《かし》開発者」が、
画期的《かっきてき》なデザートを開発した。
それは、「未完のミカン」と名づけられたデザートで、
「未完」とはつけられてはいるものの、
本物のミカンを、「99％」再現したものだった。
開発者が言った。
「ミカンの皮の内側の白い筋《すじ》、果肉を包《つつ》む薄《うす》い皮、
弾力性《だんりょくせい》のあるジューシーな果肉」
……この3つを再現するための原料や加工法の研究、
それを製造するための設備の開発に20年かかりましたが、
ようやく完成しました。
この本物のミカンと見分けのつかないデザートが、
なんと300円という価格で提供《ていきょう》できるんです！」

試食した会社の偉《えら》い面々、
営業部《えいぎょうぶ》、マーケティング部の人々が
試食して言った。

「これ、見た目も味も、
本物とまったく区別がつかないな。
すごい完成度だ。でも、ここまで本物に近いなら、
もう、『本物のミカン』を食べればいいんじゃないか？
1個100円くらいで買えるんだし……」

第34話

叩《たた》けば直る

若手社員が部長に声をかけようとしたとき、

部長はイライラとした様子でパソコンをにらんでいた。

「くそっ！　なんなんだ、このパソコンは！

エラーだ、フリーズだと、全然使いものにならん！

最近の機械は、最近の若者と同じで、ヤワすぎる！

昭和のものなんて、テレビでもなんでも、

叩けば直ったもんだ!!」

「あのぉ、部長。有給休暇《ゆうきゅうきゅうか》の申請《しんせい》をしたいんですが……」

「有休申請だぁ？　今の若いヤツらは好き勝手に休めて、

いい身分だな。今、会社がどういう状況かわかってるのか？

俺が若いころは、仕事が大変なときに休むなんて、

考えたこともなかったぞ。

お前たちのような世代には、何を言っていいかわからん。

『部長も、フリーズしちゃうぞ』って感じだ！」

次の瞬間《しゅんかん》、若手社員の拳《こぶし》が
部長の顔面に叩《たた》きつけられた。
イスから吹っ飛《ふと》んで床に転がった部長が、
一瞬《いっしゅん》たじろいだものの、我《われ》に返って怒鳴《どな》った。
「何をするんだ！
部下から上司への暴力も立派なパワハラだぞ！
若者が得意な『被害者ヅラ』も、今回は許《ゆる》されんからなっ!!」
しかし、部長を殴《なぐ》り飛《と》ばした若手社員は、
きょとんとした表情を返しながら言った。
「先ほど部長が、『昭和のものはなんでも叩けば直った』と
おっしゃっていたもので……。
ほら、ご自身で『部長、フリーズしちゃうぞ』
って言うから、
昭和の部長も、叩けば直るかなって思いまして。
でもやっぱり、一発叩いたくらいじゃ
直らないみたいですね。
もうちょっと強く叩いてみますか？」

第35話

「未完のミカン」の復活

「ミカン」というフルーツが絶滅《ぜつめつ》してから、
100年が経った頃、とある食品メーカーの
「商品化不可データベース」から、「未完のミカン」という
デザートのレシピが発見された。

「ミカン」というフルーツは、今となっては
「古典」ともいえる小説や映画作品にも登場する。
しかし、「柑橘類《かんきつるい》」の突然《とつぜん》の絶滅により、
それが、どのような味だったのかは、
誰にもわからなくなっていた。

当時の記録を見るに、「未完のミカン」は、
「見た目も味も、本物とまったく
区別がつかない」とある。

残されていたデータから、「ほぼミカン」という、
「未完のミカン」が製造され、皆がそれを味わった。

「未完のミカン」を食べた多くの人が、
それまでミカンを食べたことがないにもかかわらず、
その味に涙《なみだ》を流した。
そして、多くの人が似《に》たような感想をもらした。
「ミカンって、昔の作品を観て、勝手に『酸《す》っぱい』
とか、『甘酸《あまず》っぱい』みたいな印象をもっていたけど、
全然違ったんだね」
「そうだね。
こんなに『辛《から》い』フルーツだとは思わなかった。
辛すぎて、涙《なみだ》がでてくる……」
データベースに残っていた「未完のミカン」の製造法は、
開発初期の失敗作の成分配合、
製造法によるものだったのだが、
そのことがわかる者は、誰もいなかった。

うへ〜、からい!!
昔の人って、こんな味が好きだったの？

第36話

宇宙人襲来《しゅうらい》

宇宙から地球へ、恐《おそ》ろしいメッセージが届《とど》いた。
さまざまな電波をジャックして、
世界中に配信されたその映像は、
見るからに凶暴《きょうぼう》で獰猛《どうもう》そうな宇宙人が、
「地球の侵略《しんりゃく》」を宣言《せんげん》するものだった。
3日後に、彼らの乗った宇宙船が、
地球へ降り立ち、人類への攻撃《こうげき》を開始するという。
「無駄《むだ》な抵抗《ていこう》はやめて降伏《こうふく》せよ」と言うのだ。
そんな一方的な要求に、従えるわけがない。
世界各国は、宇宙人を迎《むか》え撃《う》とうと、
協力して戦力を整え、襲来に備えた。
そして予告された通り、メッセージの3日後、
ついに宇宙船が地球の上空に姿《すがた》を現した。

ついに宇宙船が地球の上空に姿《すがた》を現した。
しかし、地球人たちは誰もそれに気づかなかった。
その宇宙船が、あまりにも小さかったからである。
地球上に降り立った宇宙船から、
凶暴《きょうぼう》で恐《おそ》ろしい宇宙人たちが、
ぞろぞろと現れたが、
地球人は上空を警戒《けいかい》したまま、
足元のアリのような彼らには、見向きもしない――
認識することすらできなかったのだ。

第37話

地球の征服《せいふく》

襲来《しゅうらい》した宇宙人は、虫のように小さかった。
しかし、地球人は、もはや彼らを無視できなかった。
「我々《われわれ》の侵略《しんりゃく》計画は着実に進んでいる。
占領《せんりょう》地域は地球全土に及び、人口も我らが追い越した。
我々がこの地上に降り立った時点で、
交渉《こうしょう》の余地はなく、もはや降伏《こうふく》を勧告《かんこく》する必要もない。
つまり、地球人と話をする必要はなかったのだ。
地球の支配者は、我々だ！」
将軍が声高に、征服の完了を宣言した。
それに応えるように、宇宙人の兵士たちは
大きな歓声《かんせい》を上げた。

「痛っ！　虫にかまれた！　うわ、赤くなってる」
男が顔をしかめると、隣《となり》の友人が言った。
「ああ、なんか最近、へんな虫が多いよな。
ちっちゃいのに、やたら刺《さ》したり噛《か》むやつ。
毒はないって話だけど、無視はできないな」
「ああ、虫（ムシ）だけどな」
そして、笑いながら、噛みついた虫を指でつぶす。
「あの、ニセの『宇宙人襲来《しゅうらい》メッセージ』事件が
あったよな。あの事件で世間が騒《さわ》いでた頃くらいから、
この虫が増えてきた気がする」
友人は、その事件には興味なさそうに答えた。
「そう言えば、こないだ聞いたんだけど、
虫って人間より数も多いし、生息地も広くて、
『地球の支配者は虫だ』って言う人もいるらしいよ」
「じゃあ、俺たちは支配者に反逆する民衆かな？」
そう言いながら男は、地面にうようよといた
宇宙人たちを、無慈悲《むじひ》に踏《ふ》みつぶした。

第38話

果たされなかった約束

とある名家の屋敷《やしき》で使用人をしていた喜三郎は、その家の令嬢《れいじょう》であるハナに、想いを告《つ》げた。

「俺は必ず一人前の実業家になって、お嬢様《じょうさま》を迎《むか》えに戻《もど》ってきます。だからそのとき、結婚してください」

ハナは涙《なみだ》ぐみながらうなずき、喜三郎を送り出した。

そして、立派な実業家になった喜三郎は、意気揚々《いきようよう》と屋敷へ戻った。しかし、ハナの家族は冷徹《れいてつ》な態度で喜三郎を追い返した。

ハナの消息を問いただした喜三郎に、家族は、「別の男と結婚した」と告げた。

「どうして……どうして、俺を待っててくれなかったんですか……お嬢様!」

絶望した喜三郎は、その場で泣《な》き崩《くず》れた。

ハナの家族――すなわち、ハナの孫《まご》たちは、冷めきった目で喜三郎を眺《なが》めていた。

「……その約束、何十年前のことなんですか?」

ハナは数十年前に結婚していた。婿《むこ》を迎《むか》えて家督《かとく》を継《つ》ぎ、子どもや孫にも恵まれたハナは、現在は隠居《いんきょ》の身である。

「私は、美容整形の事業で大成功したんだ! 実年齢より何十歳も若く見えるような新技術を開発して、富《とみ》も築いたのに……!」

「あんた、見た目は若作りしてるけど、実際は爺《じい》さんだろ? 一人前になるのに、何十年かかってるんだよ。結婚の約束なんて、どう考えても時効《じこう》だろ?」

第39話

幸せな笑顔

私と美幸は親友で、何でも打ち明けられる間柄《あいだがら》だった。
……でも美幸は最近、変わった。
すごく幸せそうなのに、何があったかを聞いても
「何もないよ～」と教えてくれないのだ。
美幸の笑顔にひかれて、クラスメイトたちも
「最近の美幸、明るいね」「彼氏でもできた？」と、
親しげに彼女に話しかけるようになった。
「本当に何もないよ」と幸せそうに答える美幸。
私は疎外感《そがいかん》と嫉妬《しっと》で、胸がやかれるようだった。
——親友だったのに、隠《かく》しごとなんて許《ゆる》せない。
ある日、とうとう我慢《がまん》できなくなった私は、
学校の廊下《ろうか》で、強い調子で美幸を問《と》い詰《つ》めた。
「何があったの！　隠してないで教えなさいよ！」

美幸は、笑顔で教えてくれた。

「本当に何もないよ。『幸せだから笑う』じゃなくて、『笑うから幸せになる』って言葉を信じることにしたの」

――そう言った誰かの言葉に出会ったらしい。

「笑う門《かど》には福来るって言うしね。その言葉を信じて笑顔を続けてみたら、本当に楽しくなってきたの！

表情がやわらかくなったって自分でも思えたら、いつの間にか、皆も話しかけてくれるようになった。

幸せだから笑うんじゃなくて、『笑うから幸せになる』って、本当だったんだよ！」

私はふと、廊下《ろうか》の鏡に映る自分の顔を見た。

嫉妬《しっと》と不信感で頭がいっぱいになっていた私は、いかにも不幸で、うらめしそうな表情をしていた。

第40話

浮《う》かぶ生首

駅から私の住むアパートまで帰るためには、
墓地《ぼち》のそばを通らなければならない。
昼間はともかく、夜は暗くて不気味《ぶきみ》だ。
特に深夜などは、本当に幽霊《ゆうれい》が出そうな雰囲気《ふんいき》がある。
その日、残業で帰りが遅《おそ》くなった私は、
ビクビクしながら、墓地のそばの道にさしかかった。
街灯《がいとう》が少なく真っ暗で、自分の靴音《くつおと》しか聞こえない。
——幽霊なんかいない！
自分にそう言い聞かせながら、
墓地に面した道へ続く角を曲がる。
……私は思わず悲鳴を上げて、腰《こし》を抜かした。
道の先に、青白く光る、人の生首が浮かんでいる！
生首は、生気のない、うつろな目をしたまま、
ゆっくりと私のほうへ近づいてきた！

だんだんと迫《せま》ってくる青白い生首を見て、
やがて私は、ホッとした。

それが、ただ歩きスマホをしている若者だと気づいたからだ。

スマホの画面の明かりに照らされた顔だけが、闇夜《やみよ》に浮《う》かんで見えていたのだ。

若者は、悲鳴を上げて尻餅《しりもち》をついた私のことなど、まるで気づいていないように、画面を見つめたまま、道を通り過ぎて行った。

お化けではなかったことに、安堵《あんど》する反面、とりつかれたようにスマホばかり見つめて、他人の様子にまったく無関心な様子の若者の姿《すがた》に、私は別の意味で、少し背筋《せすじ》が寒くなった。

第41話

構想40年の大作

男は、大学在学中に、小説作品を書き上げ、
卒業後に、それを出版社に持ち込んだ。
作家として食べていくことを夢見ていたのである。
しかし、その作品は、あまり評価されなかった。
そして、実際に書いてみてわかったことだが、
小説を書く作業は、想像以上にストレスのたまるものだった。
男は、小説の道をあっさりあきらめた。
その後、就職《しゅうしょく》した男の人生は、順風満帆《じゅんぷうまんぱん》だった。
順調に出世を続け、季節ごとに家族で海外に旅行。
気の合う仲間にも恵まれ、趣味も楽しんだ。
定年で会社を辞《や》め、自宅の整理をしていたときに、
大学在学中に書いたあの作品が引き出しからでてきた。
そして、ものは試しと、
その作品を、そのまま出版社の小説新人賞に応募した。

古い時代に書かれたその作品は、
手書きで原稿用紙に書かれていた。
しかし、そのことが、審査員《しんさいん》たちに、
「何かしらの執念《しゅうねん》」として伝わった。
そして、男の作品は、「新人賞」を受賞した。

授賞式で、マイクを向けられた男が
思い出していたのは、
家族との旅行、充実《じゅうじつ》した会社員生活、
友人たちと騒《さわ》いだ日々だった。
しかし、その40年の思い出を、
頭からすべて消し去り、
難しい顔をしながら、ボソボソとした声で言った。
「この作品を世に出すまで、40年がかかりました。
でも、僕にとっては、たったの40年です」

40年間かかりましたが……
夢のためのたったの40年です
我、小説に殉じて
構想、執筆40年
超大作

第42話

遠距離恋愛《えんきょり》

夜空を見上げると、大きな月が見える。
私は、愛《いと》しい人に語りかけた。
「お仕事、お疲《つか》れさま。月での暮らしは大変だった?」
電話の向こうで「そうだね」とつぶやく彼の姿《すがた》が
目の前に浮《う》かぶようで、愛おしさが込み上げてくる。
「やっと帰ってこられるのね。もしかしたら、
もうずっと会えないんじゃないかって思っちゃった」
「僕も、同じことを考えてた。僕の仕事の都合で、
キミは地球、僕は月にいる、なんていう
超遠距離恋愛になって、寂《さび》しい思いをさせてしまった。
本当にごめん。
だけど、ずっと待っていてくれて、ありがとう。
今、地球に向かってるよ。窓《まど》の外に、大きく見えてる。
これでやっと、永遠にキミと一緒になれるね」

窓《まど》の外に見える地球が、ぐんぐん近づいてくる。
数年前に新たに開発、実装された反重力装置は、
人類の生活範囲《はんい》を宇宙空間へ大きく広げた。
しかし、数日前にその反重力装置が暴走《ぼうそう》し始め、
月と地球の重力バランスが大きく崩《くず》れてしまったのだ。
そして、その影響《えいきょう》で地球の重力に捕《つか》まった月が、
いよいよ地球へ墜落《ついらく》しようとしている。
月と地球が衝突《しょうとつ》すれば、どちらもただではすまない。
きっと、両星とも、粉みじんに砕《くだ》け散《ち》って、
人類は滅亡《めつぼう》してしまうだろう。
けれど、遠くに離れたまま二度と会えないよりも、
地球と月が衝突したほうがいい。
それは、「永遠に一緒」になれるということだから。
電話の向こう――地球にいる最愛の彼女に
「愛してるよ」とささやいて、
青い地球の輝きを感じながら、僕は目を閉じた。

第43話
約束のホームラン

「今日のヒーローインタビューは、
9回裏《うら》に逆転《ぎゃくてん》満塁《まんるい》ホームランを打った、山田選手です！
まるで虹《にじ》のようなアーチを、スタジアムにかけましたね！」
マイクを向けられた山田選手は、微笑《ほほえ》んで答えた。
「どうも、ありがとうございます」
「噂《うわさ》によれば、この試合でホームランを打つ代わりに、
手術を受けるという約束を、病気で入院中の
ご近所のお子さんとしていたと聞きましたが？」
「はい。約束を果たすことができました」
「すばらしい！　山田選手の活躍《かつやく》は、
そのお子さんに、大きな勇気を与《あた》えたことでしょう！」
山田選手の力強く、堂々《どうどう》たる姿《すがた》に、
観客たちは、惜《お》しみない拍手《はくしゅ》を贈《おく》った。

逆転ホームランを打つ試合の前日——。

山田選手は、入院中の子どもの病室にいた。

「無理だよ！　日本シリーズだし、日本中が観てるんだぜ。チャンスが回ってきて三振《さんしん》したらと思うと、怖《こわ》さしかないよ。打って当たり前だと思われてんだから、何の得もないい！　試合に出たくない！　打席に立ちたくない！」

情けない声を上げる山田選手に、子どもはため息をついた。

「家が近所だから、山田の兄ちゃんの性格は知ってるけど、人前では堂々《どうどう》としてるくせに、ほんとメンタル弱いよね。よし、それならオレ、今度、手術を受けるよ」

「え？　でも、手術、失敗する可能性もあるんだろ？」

「それでも勇気を出して手術を受けるからさ、山田の兄ちゃんも、勇気を出して、打席に立ってよ。それで、ホームランを打ってよ！　約束だからね！」

こうして山田選手は、子どもから大きな勇気を与《あた》えられ、打席に立ったのだ。

僕も勇気《ゆうき》を
出すから、
勇気を出して
打席に立ってよ

第44話

星に願いを

無数の星々が、流星群となって、
空を覆《おお》っている。
それはあまりにも美しい光景だった。
人々はみんな空を見上げ、手を合わせ、
心の中で願いを唱えた。

「どうか我々を、地球を、お救いください！」
それが人々の願いだった。
反動装置の暴走で落下してきた月の軌道を
ギリギリのところで変更させることに成功したが、
今度は、地球自体が太陽に引き寄せられる
事態に陥《おちい》った。
まさに灼熱《しゃくねつ》地獄に落下しているようなものだ。
太陽へと進んでいく地球の速度はあまりにも早く、
動いていないはずの遠い星々が、
地球から見ると逆に、
空を流れているように見えるほどだった。
人類はそれが流れ星でないことを知りながら、
それでも祈《いの》らずにはいられなかった。
頬《ほほ》を伝う涙《なみだ》が、一瞬で蒸発《じょうはつ》していく。
何もかもを燃《も》やし尽《つ》くす太陽の業火《ごうか》に、
今まさに地球は飲み込まれようとしていた。

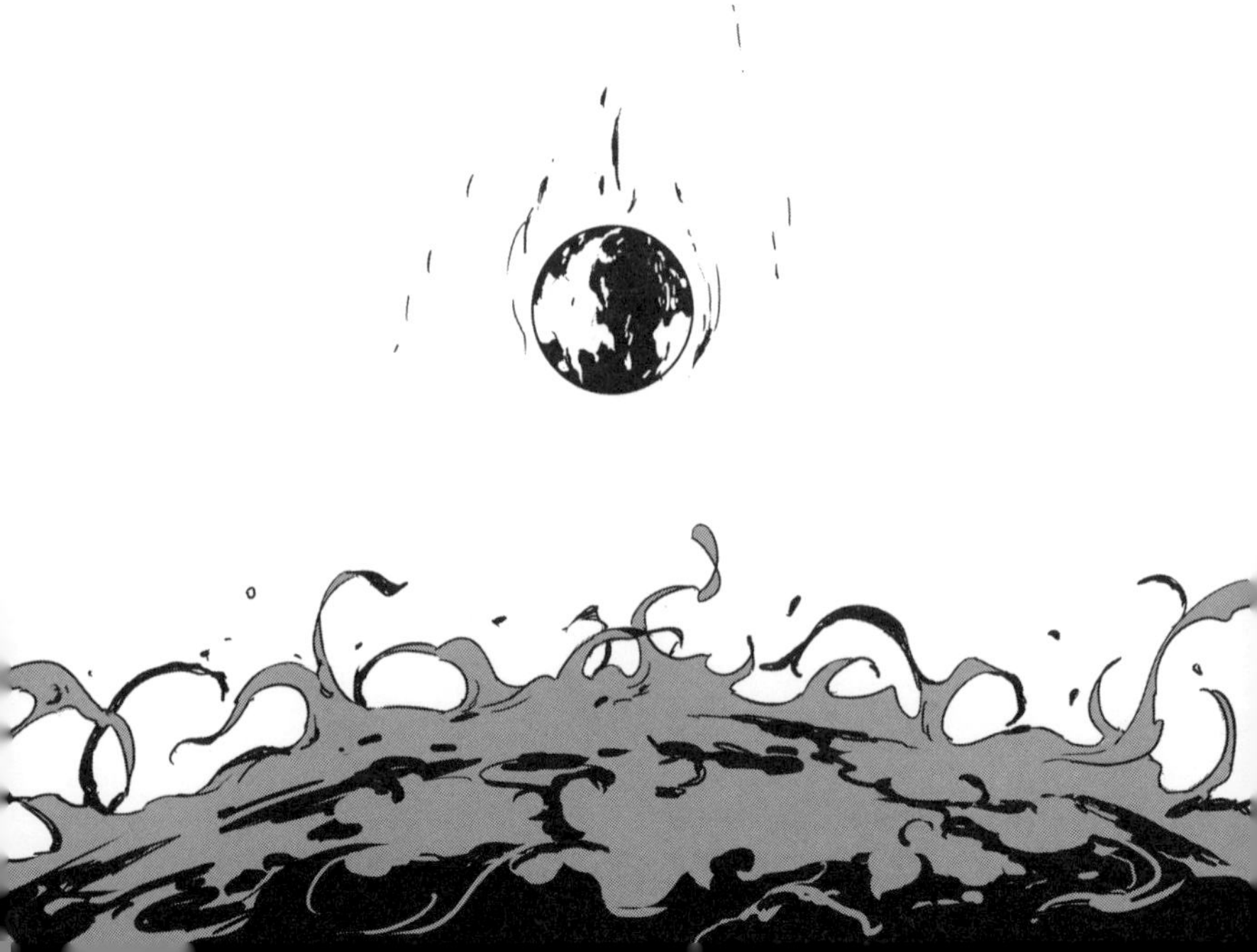

第45話

昔《むかし》むかし

桃《もも》太《た》郎《ろう》は、おじいさんとおばあさんに言いました。
「遠い海の果てに、鬼《おに》の住む鬼《おに》ヶ《が》島《しま》があるそうです。
僕は鬼ヶ島に行って、鬼退治をしてきます！」
動物たちをお供《とも》にし、鬼ヶ島にたどりついた桃太郎は、
みごとに鬼たちを打《う》ち倒《たお》して、
鬼の財宝を村に持ち帰りましたとさ。
めでたし、めでたし。

『桃太郎』を読み聞かせ終わると、息子が私に言った。
「よくよく考えたら、桃太郎って、『強《ごう》盗《とう》』だよね！
いきなり鬼ヶ島に押しかけて、
問《もん》答《どう》無《む》用《よう》で鬼を退治して、宝を奪《うば》ってるんだから……！」
泣きそうな顔をしている息子を、笑いながらなだめた。
「こんなのは、ただの昔話なんだから、真《しん》剣《けん》に考えるなよ」

息子は納得しない様子で、
ただでさえ赤い顔を、さらに顔を赤くして怒っている。
「そもそも最初から、『桃太郎が正義の味方で、
鬼《おに》が悪者……』っていう物語って、おかしくない!?
これって、ぼくらへの差別だよね？」
自分の頭のてっぺんから生えた小さな角を
指さしながら、息子は僕に訴《うった》えた。
私も苦笑しつつ、自分の角に触《ふ》れながら言った。
「お前の意見はもっともだけど、そんなに怒るなよ。
こんなのは、今となっては時代遅《おく》れの『昔話』――
そう。ずっと昔の話なんだからさ。
たしかに、昔はこんなことは日常的だったそうだ。
でも、今じゃ、鬼と人間の種族間差別も撤廃《てっぱい》され、
対等な関係で暮らせる時代になったんだからさ」
昔の嫌《いや》な話は、もう忘れて、
新しい時代を作ろう、と息子には伝えていこう。

第46話

「もういいかい？」

「もういいかい？」

「まーだだよー」

幼い兄妹《きょうだい》が、家の中でかくれんぼをしていた。

「もういいかい？」

「もういいよ」

妹の返事を聞いて、鬼《おに》をしていた兄が
家じゅうを探し始める。

元気いっぱいの2人の様子を眺《なが》めて、
兄妹の両親は、お互《たが》いの顔を見ながら微笑《ほほえ》んだ。

「もういいかい？」
「うん。……もういいよ」
押《お》し入《い》れの中にしゃがみこんでいた妹が、
ぽつりと答えて立ち上がった。

２人で遊んだあの日から、数十年の月日が流れ、
兄妹はすでに50代だ。
かつては新築だったこの家も、
今ではすっかり古びている。
家財すべてを処分し終えて空っぽになった家。
その部屋を見て回り、兄妹は家との
「最後のお別れ」をしていた。
父母の他界後に空き家になったこの家を取《と》り壊《こわ》す——
この家ともお別れする日がきたのである。
兄妹は玄関《げんかん》を出て、
解体業者に「お願いします」と声をかけた。
解体されていく実家を、兄妹はじっと見つめていた。

第47話

不仲な隣《りん》人《じん》

隣《となり》同士の家に住む2人の老人は、
昔から仲が悪かった。

お互《たが》いのことが大嫌《だいきら》いで、

「あんな奴《やつ》、さっさと死んじまえばいいのに！」

と、心の底から願っている。

そんなある日、1人の老人のもとに悪魔《あくま》が現れた。

「お前の願いを言ってみろ。何でも一つ叶《かな》えてやる」

老人は目を輝かせて言った。

「原因や理由は何でもいい。

隣のジジイを、さっさとあの世に送ってくれ！」

「承知《しょうち》した」

その直後、願いごとを言った老人の胸に激痛が走った。

「なぜ……だ？　わしじゃなくて、隣の……だろ？」

老人は心臓《しんぞう》発作《ほっさ》を起こし、その場で息をひきとった。

その老人が突然死《とつぜんし》した数日後、
隣の老人も、後を追うようにして亡《な》くなった。
「1日でも、あいつより長生きしてやる」
という執念《しゅうねん》で生きていた彼は、
憎《にく》むべき相手に先立たれたことで、
急に生きる気力も張り合いもなくなったからか、
何の病気でもなく、もちろんケガでもなく、
あっけなく息を引き取ったのである。

「これで満足か？　『原因は何でもいい』と
言われたからな。
これが、いちばん確実な方法だったのさ。
まぁ、どっちの爺《じい》さんに話をもちかけても、
同じ結果になっただろうな」
2人の老人が死んだのを見届けて、
悪魔《あくま》は、誰に言うでもなくつぶやいて
笑いながら去っていった。

第48話

嘘《うそ》をつくと死ぬ呪《のろ》い

ある男が、魔女《まじょ》に呪いをかけられた。
それは「嘘をつくと死ぬ呪い」というもので、
呪われた者の多くは、数年のうちに死んでしまう。
つまり、「嘘をついてしまう」のだ。
……嘘をつかずに生きることは、
それくらい難しいことなのである。
ところが、その男は、呪われた後も数十年生きて、
天寿《てんじゅ》をまっとうした。
男の葬式《そうしき》に出た孫は、尊敬《そんけい》の念《ねん》を込めて言った。
「嘘をつかずに生きるなんて、
おじいちゃんは、すごい正直者だったんだね！」
しかし、男の妻《つま》は眉《まゆ》をしかめて、孫に答えた。
「いいや。あの人――あんたの爺《じい》さんほど
不誠実《ふせいじつ》な男はいなかったよ」

男の妻《つま》は言った。
「……あんたの爺《じい》さんはね、
都合の悪いことを尋《たず》ねられると、
いっつも黙《だま》りこんで、
聞こえないフリを決め込んでいたのさ！」

「嘘《うそ》をつくと死ぬ呪《のろ》い」に
かけられていたその男は、
嘘をつく代わりに、
「嘘をついて、納得させるのではなく、
言いたいことを、高圧的かつ強引に押しつける。」
「そして、不都合なことを聞かれたら、
すべて黙って誤魔化《ごまか》す」
という方法を編み出した。
そんな人生を送り、
天寿《てんじゅ》をまっとうしたのであった。

第49話
ゴミ屋敷《やしき》の老婦人

とある一軒家で、
一人暮らしをしていた老婦人が亡《な》くなった。
その一軒家は、この地域では有名なゴミ屋敷であった。
清掃《せいそう》会社に勤《つと》める私は、行政からの依頼《いらい》を受けて、
この家の片づけを行っている真っ最中だ。
――この老婦人には、家族はいなかったのだろうか？
同僚《どうりょう》が教えてくれたところによると、
彼女の夫はひどい暴力男《ぼうりょくおとこ》だったそうで、
なんとか離婚《りこん》できたものの、ゴミを投げ込まれるなど、
夫からの嫌がらせはしばらく続いたらしい。
それが、この家がゴミ屋敷になった理由だそうだ。
彼女は、一人でこの家に住み続けた。
ひとりぼっちでひっそりと――。
彼女の孤独《こどく》な生き様に想いを馳《は》せ、私は作業を進めた。

作業を進めていくと、
ゴミ屋敷《やしき》の最奥部で白骨死体が見つかった。
鈍器《どんき》で殴《なぐ》られたかのように、頭蓋骨《ずがいこつ》が陥没《かんぼつ》している。
彼女の夫は、離婚《りこん》して去ったのではなく、
殺されて、ゴミの中に隠《かく》されていたのではないだろうか？
そして、彼女は、「離婚した」というウソをつき、
死体を隠すために、自らゴミを積み上げ始めた——。
計画的な犯行ではなく、暴力を受けた彼女は、
身を守るために、とっさに夫を撲殺《ぼくさつ》してしまい、
その死体と二人きりで、数十年も暮らし続けていた
のかもしれない——。
夫から暴力を受けつつも、その夫から離れられなかった
彼女は、夫が亡《な》くなったあとも、
その亡骸《なきがら》と離れられなかったのだとしたら——。
彼女の孤独《こどく》な生き様に想いを馳《は》せつつ、
私は警察に電話をした。

第50話

脱出

——ここはどこだ？
狭《せま》い、暗い、何も見えない。
早くここから脱出《だっしゅつ》しなければ！
なぜだかわからないが、その衝動《しょうどう》だけが
俺をつき動かす。頼むから外に出してくれ!!
俺が心の底からそう願ったとき、
目の前に、出口が見えた気がした。
暗闇《くらやみ》に目が慣れてきたからかもしれない。
いや、たしかにあれは、出口だ。
しかし、あの出口は、意思をもっているかのように、
かたくなに開くことを拒《こば》んでいるように見える。
でも、今なら、まだ間に合う！
早く、早く、濁流《だくりゅう》となって動け、俺の体！
間に合った！　俺は、喜びとともに外へと飛び出した。

「あっ！　あぁ……。間に合わなかった……」

ゴロゴロと暴《あば》れるお腹をなだめながら、肛門《こうもん》に力を入れ、なんとか頑張《がんば》ってきたが、トイレに入る直前で、僕は力尽《ちからつ》きた。

「なんで、こんなところで、でてくるんだよぅ」

第51話

評価星

せっかく食事をするのに、店選びを失敗したくはない。
だから、食事のために、レストランに入るときは、
ネットの「レストラン評価《ひょうか》」のチェックを忘れない。
最高評価の星5つか、少なくとも星4つ以上——。
お金を払《はら》うのだから、「最高のサービス」を求めるのは当然だ。
その日も僕は、評価が星5つのレストランへ行った。
しかし、店員に申《もう》し訳《わけ》なさそうに言われた。
「申し訳ありません。予約で満席でございます……」
入店できなかったのは残念だが、仕方がない。
予約をしなかった僕が悪いのだ。
別の星5つの店を予約することにしよう。
「評価のおかげで、いつでも最高のレストランを
選べるなんて、便利な世の中になったもんだ」

「文句も言わずに、帰ってくれました」
スタッフから、そう聞いて、
レストランのオーナーは、安心したように微笑《ほほえ》んだ。
「よかった。あの客は、マイナス星３つだからな。
レビューによれば、偉《えら》そうに、
味にはクレームばかりつけるらしいし、
ほかの客の迷惑になるような大声も出すそうだ」
オーナーが見ているのは、レストランの経営者《けいえいしゃ》専用の、
情報共有サイトだった。そこには、
写真と電話番号つきで、様々な客の評価が載《の》っている。
「お客も評価を見て、店を選ぶのだから、
こちらもそれに対応しないとな」
店の評価を下げるようなコメントばかり発信する、
マイナス星の多い客は願い下げだ。
「評価の星のおかげで、いつでもネガティブな客を
避《さ》けられるなんて、便利な世の中になったもんだ」

第52話

処刑の方法

いつからか、死刑囚《しけいしゅう》たちへの食事の提供方法《ていきょうほうほう》が変わった。
部屋の壁《かべ》に10個のボタンがあり、選んで押すと、
ボタンによって異なる食事が供給口《きょうきゅうぐち》から出てくるのだ。
しかし、「この10個の中のどれか1つに、毎日ランダムで
『あるボタン』が割《わ》り振《ふ》られ、そのボタンを押すと、
食事ではなく毒ガスが噴射《ふんしゃ》されるらしい」という
噂《うわさ》がたち始めた。
噂の真偽《しんぎ》は定かではない。しかし、空腹をこらえて
ボタンを押すのをためらう者が続出した。
「絶食状態も、ふたたび3日目……もう、限界だ……」
飢《う》えて死ぬか、毒ガスで死ぬかを天秤《てんびん》にかけて、
俺はまた、震《ふる》えながらボタンを押す。
チンッという音とともに供給口から出てきたのは、
冷めたみそ汁とご飯、そして漬《つ》け物《もの》だった。

「333号、今日は、ボタンを押したぞ」

「毎回、こんなにやつれるまでガマンするとは、気の毒なこった。もっとも、こちらは食事を提供《ていきょう》する準備はあるのに、それを食べないのは彼らの自己責任だがな」

「10個のボタンのうちの1つを押すと、毒ガスが噴射《ふんしゃ》されるっていう噂《うわさ》を聞いたら、押せないだろ？まぁ、意図的に流した噂だけどな」

毒ガスに怖じ気《お　け》づいてボタンを押さないまま、食事がとれずに衰弱死《すいじゃくし》する死刑囚も多くでていた。

「これで死刑囚の食費が大幅に節約できるし、死刑執行《しっこう》のボタンを押す必要がないから、我々《われわれ》の精神《せいしん》の負担《ふたん》も少なくなる。死刑囚は生きるか死ぬかの極限状態を、食事のたびに味わうんだから、犯罪《はんざい》なんて、絶対に割に合わないって思うよな。新たに導入《どうにゅう》されたこの制度、本当におそろしいよ」

第53話

※個人の感想です。

「いやぁ、本当に素敵《すてき》な場所ですね！
ここにいらしてる、みなさんにも
インタビューしてみましょう。
すみませーん。実際に訪れてみて、いかがですか？」

「思っていた以上に気候《きこう》がよくて、過ごしやすいですね」

「食べものが全部おいしくて、最高です！
この調子だと太っちゃいそうだけど……もういいか！」

「いやー、こんなに楽しい場所は、ほかにないですよ！
もうずっとここにいたいです!!」

「みなさん、とても楽しんでいらっしゃるようですねー。
では、次は、あちらのほうへ取材に行ってみましょう」

「番組の途中《とちゅう》ですが、先ほどの取材コーナーにおいて、テロップに一部、誤《あやま》りがありました。
画面下に、『すべて個人の感想です』という注意文が表示されていましたが、
正しくは、『すべて故人《こじん》の感想です』とすべきでした。
訂正《ていせい》し、お詫《わ》びいたします」

「視聴者のみなさん、たいへん失礼しました。
……いやぁ、それにしても楽しそうでしたねぇ、天国！
利用者のみなさんの笑顔を見ていれば、
どれだけ素晴らしい場所なのかわかりますね」

第54話
待合室にて

「ねぇ見て、お母さん！　お父さん！
『天国』だって！　すごく楽しそうだよ。
ぼくも、あそこに行きたい。連れていってよ！」
「残念だけど、連れていけないの。
だって、あそこは『天国』なんだから。
でも、おじいちゃんやおばあちゃんは、
あそこで楽しく過ごしているかもしれないわね」
「えぇー、どうして連れていってくれないの？
ねぇ、どうして？」
「ごめんな、ユウ……」

「次！　え‥99999番の親子、審判室《しんぱんしつ》へ進め！」
自分たちの番号を呼《よ》ばれた夫婦は、
ビクッと背中《せなか》を震《ふる》わせると、
一人息子の手をとって立ち上がった。
そして、隣《となり》の「審判室」と呼ばれる部屋に進むと、
そこには、赤い顔に真っ黒なヒゲをたくわえた、
恐《おそ》ろしい形相《ぎょうそう》の大男――閻魔大王《えんまだいおう》が鎮座《ちんざ》していた。
閻魔大王は、顔を上げ、閻魔帳に落としていた目を
親子に向けると、大きな声で「審判」を下す。
「子どもよ。お前に罪《つみ》はない。天国にゆくがよい。
しかし、幼《おさな》いわが子を道連れに、
一家心中という愚行《ぐこう》におよんだ父親と母親は、
そうはいかぬ。お前たちは、地獄《じごく》へゆくのだ」
その審判を聞いた両親は、涙《なみだ》を流し息子を抱《だ》きしめた。
「あぁ、やっぱりこうなるんだな……」
「ごめんね、ユウ。やっぱりお母さんたちはダメだった。
あなたを天国へ連れていけなかった。ごめんね……！」

お前は、天国に行くがよい
子どもを道連れにした お前たちは、地獄行きだ！
ユウ、ごめんね…
やっぱり連れていけなかったな…

第55話

殺人許可法

おそろしい法律が可決された。
その名も「殺人許可法」。
申請《しんせい》せずに殺人を犯《おか》せば極刑《きょっけい》に処されるが、
その代わり、きちんとした手続きで申請して、
許可さえ受ければ、他人を殺しても罪《つみ》に問われない、
という法律だ。
倫理観《りんりかん》の崩壊《ほうかい》した、血で血を洗う恐《おそ》ろしい時代の訪れを
誰もが予感せずにはいられなかった。

「あの野郎、なめやがって！　絶対にぶっ殺してやる！」
そして今まさに、
友人と揉《も》めごとを起こした血の気の多い男が、
怒りを煮えたぎらせ、その申請をしようとしていた。

あの野郎をぶっ殺してやる！…ための許可をもらってやる!!
○△×市役所

男は肩《かた》を怒らせながら、役所の窓口《まどぐち》の前に立った。

「殺人許可の申請《しんせい》ですね。では、まず市民課へ……」

そう言われて、男は市民課へと走る。

「住民税の納付確認が必要です。先に納税課に……」

男は納税課へ急ぐ。

「こちらの書類に記入して、その後は福祉課《ふくしか》に……」

「印鑑《いんかん》と身分証をご用意の上、次は保険課に……」

「必要書類が足りないので、もう一度、市民課に……」

「おいっ！　なんでこんなに手続きが複雑なんだ！」

たらい回しにされ、怒鳴った男に、窓口《まどぐち》の職員は言った。

「人の命に関わる、大事なことですので……」

「くそっ！　悪びれもせず、偉《えら》そうに言いやがって！

まずはお前からぶっ殺してやろうかっ!?」

「では、その手続きのほうもお願いします」

「……もういい。殺人なんてバカらしくなってきた……」

「殺人許可法」制定後、殺人件数は減ったという。

第56話

家族の一大事

男が会社で仕事をしていると、
家にいるはずの妻から電話がかかってきた。
「お仕事中にごめんなさい。今、連絡があって、
真人《まさと》が幼稚園《ようちえん》でお弁当を食べている最中に、
急に苦しみだしたとかで、病院に運ばれたらしいの」
「なんだって！　それで、真人は？」
「詳《くわ》しいことは、私もわからないの……。
今から病院に向かうわ。何かわかったら連絡するから。
ひとまず、あなたは来なくても大丈夫《だいじょうぶ》」
妻はそう言って、電話を切った。
しかし、無音になった電話を握《にぎ》りしめたまま、
男は動揺《どうよう》も不安も隠《かく》すことができずにいた。
「まさか、真人が病院に運ばれるなんて……。
一大事だ。俺はどうすればいいんだ」

午後の会議を欠席して病院に向かおうか。
そんな考えが男の頭をよぎったが、
よく考えたら、病院名も聞いておらず、
その後、妻《つま》とも連絡がとれない。
真人はどうなっただろうか……？
何事もなく、妻とともに家へ帰れただろうか……？
悶々《もんもん》とそんなことを考えていた男のもとに、
夕方近くになって突然《とつぜん》の来客があった。
「アマミヤシロウさんですね？　我々《われわれ》、警察《けいさつ》の者です。
じつは、昼過ぎに病院へ搬送《はんそう》された
息子さんの体に、暴行されたような跡《あと》があると、
病院から通報がありましてね。
お話、聞かせていただきますよ」
有無を言わせぬ迫力《はくりょく》の警察官たちに取《と》り囲《かこ》まれて、
男は青ざめた顔を両手でおおった。
——病院に運ばれたと聞いてイヤな予感はしていたが、
やはり、バレてしまった……。これは一大事だ。

第57話

家族の行く末

病室のベッドに寝《ね》かされた5歳の息子の頭を、
母親は優しい手つきでなで続けた。
一時はどうなることかと思ったが、もう安心だ。
「息子さんは食中毒のようです。
幼稚園《ようちえん》に持っていったお弁当が、よくなかったんでしょう。
幸い、大事には至《いた》りませんでしたから、
入院の必要もないと思います」
「そうですか……。ありがとうございました、先生」
「それから……ご主人のもとには、
今ごろ警察《けいさつ》が向かっているはずです。息子さんの体に、
暴行を受けたようなアザがいくつも残っていたので、
病院から警察に通報しておきました。もう大丈夫ですよ」
医師の言葉を聞いた母親は、瞳《ひとみ》に涙《なみだ》を浮《う》かべながら、
「ありがとうございます……」と繰《く》り返《かえ》した。

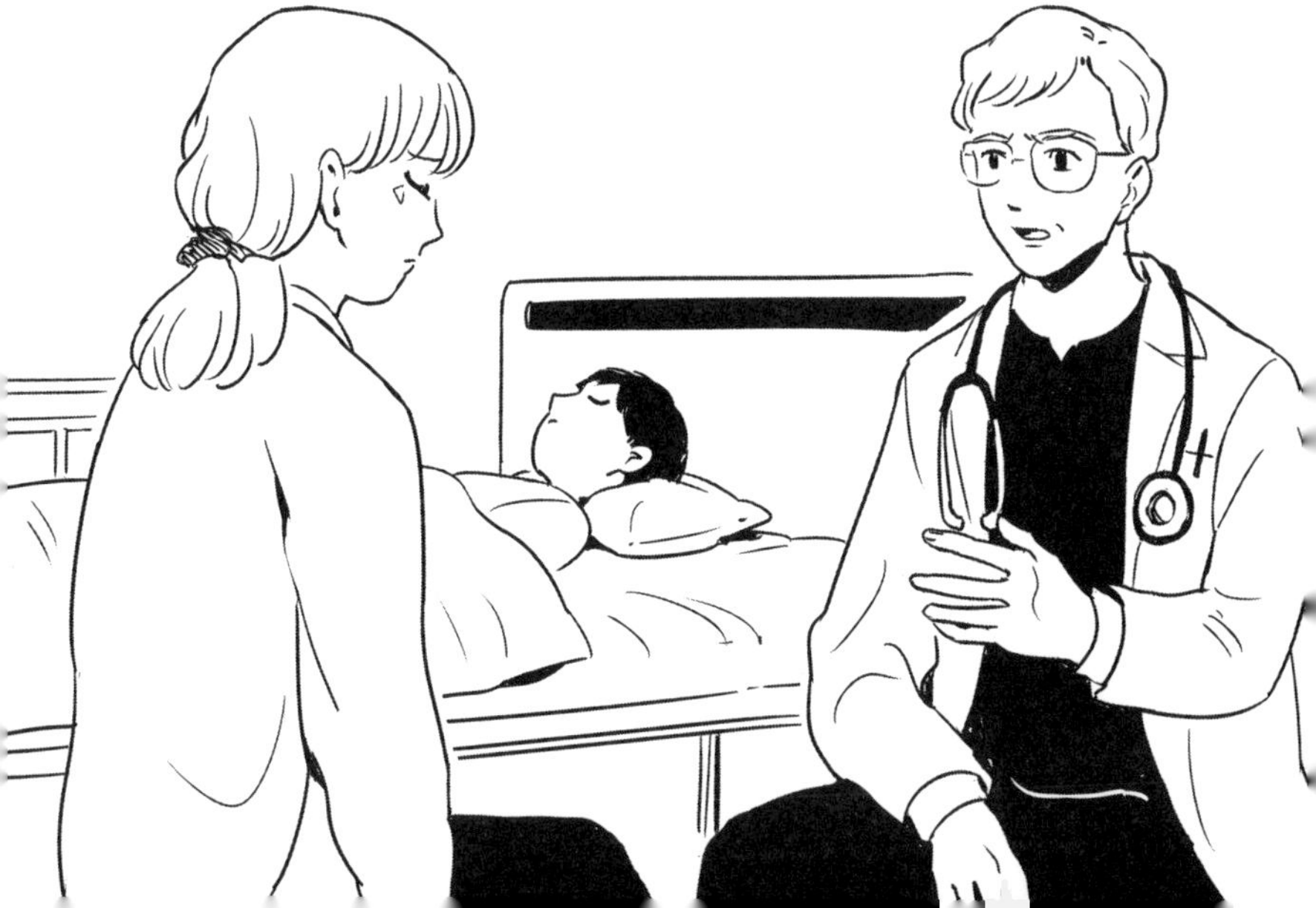

先生が「お大事に」と言い残して病室を出ていったあと、
私は幼《おさな》い息子を、両腕《りょううで》でしっかりと胸に抱《だ》きしめた。
「もう大丈夫よ、真人《まさと》。これでもう、
お父さんにぶたれなくてすむからね」
夫は息子に、日常的に暴力《ぼうりょく》をふるっていた。
何度も止めようとしたが、逆に夫の暴力を受けた。
「警察に言ったら、ただではすまない」とも脅《おど》された。
だから、私は、苦渋《くじゅう》の決断をした。
真人のお弁当に、食中毒と同じ症状《しょうじょう》の出る毒を
少しだけ入れて、幼稚園に持たせたのだ。
作戦はうまくいった。異変に気づいた病院が
警察に連絡をしたのだ。私には、こうするしかなかった。
「これで何もかも解決よ、真人。もう、怖《こわ》いお父さんは
いない。これからは、お母さんと2人で暮らしましょうね」
私はもう一度、強く息子を抱きしめた。
かわいそうに、まだ父親が恐《おそ》ろしいのか、
息子は私の腕の中で、小刻《こきざ》みに震《ふる》え続《つづ》けていた。

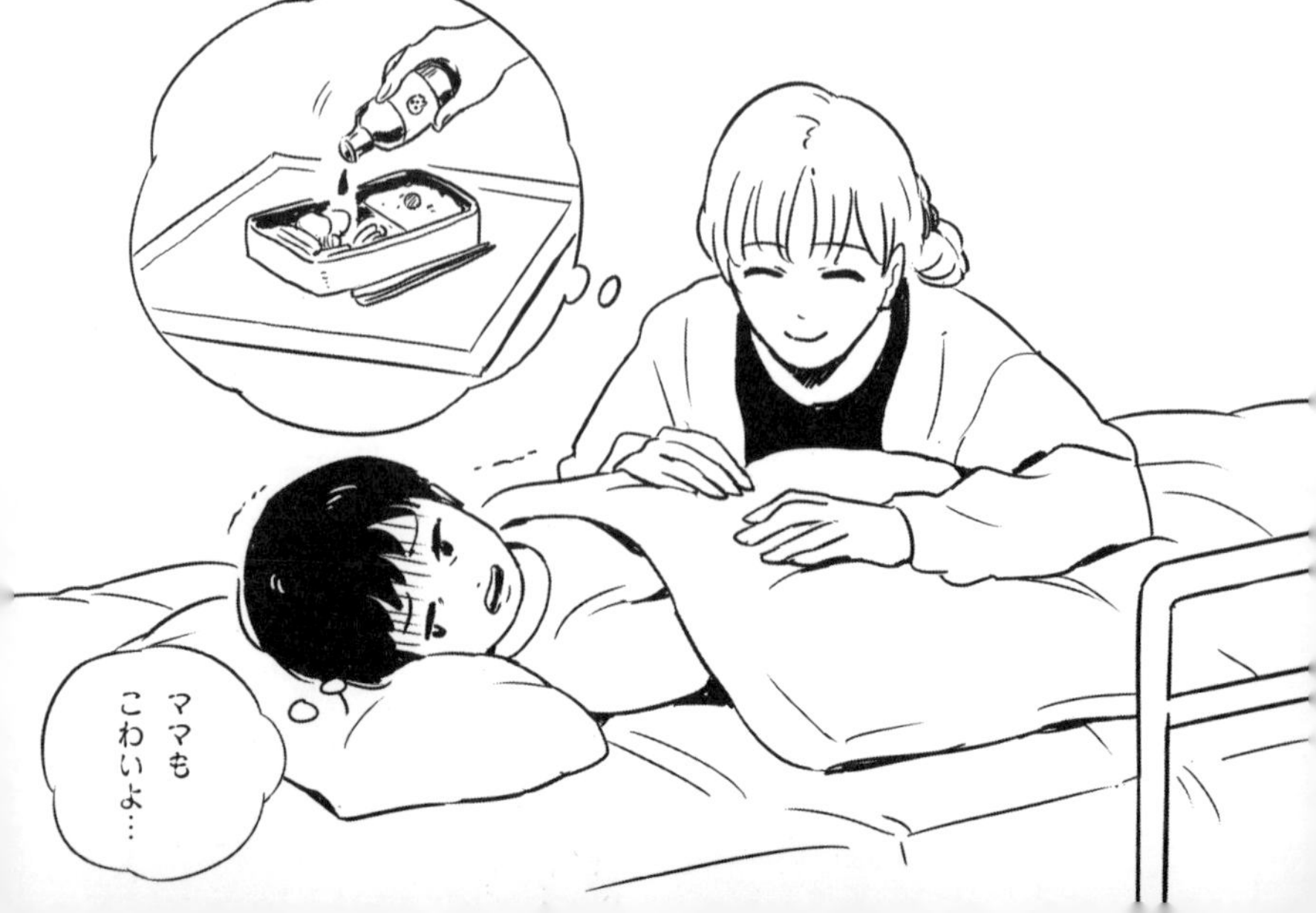

第58話
大行列

男が街中《まちなか》を歩いていると、大行列に遭遇《そうぐう》した。
はるか遠くに見える先頭らへんに、
「本日オープン」ののぼりが、小さく見える。
「――そういえば、このへんに有名なラーメン店の
2号店ができるって聞いたけど、
今日がそのオープン初日だったんだな。
オープン前からずいぶん話題になってたから、
こんな大行列になるのもわかる。
この人数だと、2時間くらいは
並ぶことになりそうだけど、
ちょっと気になるし、並んでみるか。
本当は、違う店に行くつもりだったけど、
味の評価は、こっちの店のほうが高いからな」
男は迷《まよ》った末に、大行列の最後尾に加わることにした。

やはり、男が店の入り口近くまで到達《とうたつ》するのに、
2時間以上かかった。
そして行列の先頭を見てみると――
先頭の人たちが吸《す》い込《こ》まれていくのは、
話題になっていた有名なラーメン店――ではなく、
ラーメン店の隣《となり》にある、小さな路上喫煙所《きつえんじょ》だった。
「話題のラーメン店より、
喫煙所にできた行列のほうが長いなんて、
今の時代らしい皮肉だな。
まぁ、おかげでお腹がペコペコで、
ラーメンも美味《おい》しくいただけそうだ。
うん？　お腹が減って、何でも美味しく食べられるなら、
いつも行く安いラーメン屋でもいいのかな？」

第59話
柵《さく》越《ご》しの激《げき》闘《とう》

「おい、てめぇこら、今、こっち見て笑ったろ?」
「あ? 知らねぇよ。イチャモンつけてんじゃねぇぞ」
ある高校の校舎の裏《うら》にいた不良と、
そこに面した道を歩いていた不良が、
鉄の柵越しに、にらみ合った。
「なめんなよ? こんな柵がなかったら、
俺に殴《なぐ》られて、もうお前はKOされてっぞ?」
「こっちのセリフだ、コラッ!
柵に感謝しろ、このザコが!」
「んだとぉっ?」
「ああんっ?」
今にも殴《なぐ》り合《あ》いそうな一触即発《いっしょくそくはつ》の2人を、
鉄の柵が、なんとか仲裁《ちゅうさい》しているかのようだった。
不良たちは、その柵越しに視線をぶつけ、火花を散らせた。

「おい！　本当にやるってのかっ？」
不良の1人が、柵《さく》を思いきり蹴飛《けと》ばした。
すると、どうやら錠《じょう》が壊《こわ》れていたらしく、
その錠が外れ、きしんだ音を立てて、
あっけなく鉄の柵が開いた。
不良2人が、じっと見つめ合った。
そして1人の不良が、静かに柵を閉める。
もう1人の不良は、柵をガタガタ揺らし、
柵が開かないふりをしつつ、
時計を見ながら言った。
「おっもうこんな時間か？
お前、俺に、大事な用事があって命拾いしたな」
「お前こそ、この柵に命を助けられたな」
柵が開いたにもかかわらず、
あたかもそれが見えていないような口ぶりで、
2人は、足早にその場を立ち去った。

第60話

宇宙からの贈《おく》り物《もの》

まだ人類が地球に出現する前、
古代の地球に宇宙人がやってきた。
彼らはさまざまな星をめぐり、その環境を調査していた。
「この星には、大量のエネルギーを生み出す資源があるが、
未熟《みじゅく》な文明では、排出《はいしゅつ》するガスが増え、
温暖化《おんだんか》の問題が起こるだろう」
「そうなれば、多くの生命が失われる。
温暖化を防ぐ装置を置いていこう。
いずれ文明を持った者たちが見つけ、使えるように」
それから、長い年月が経ち、やがて生まれた人類は、
文明を発展させる中で、地球温暖化の危機《きき》に直面した。
そして、絶望的な状況で、
ついに、宇宙人の置いていった装置が発見された。

科学技術の進んだ地球人たちは、
発見された装置が、
地球温暖化《ちきゅうおんだんか》を防ぐためのものだとすぐに気づき、
その使い方も理解できた。
しかし、もはやそれは無用の長物だった。
宇宙人が置いていってから、長い年月を経る間に、
装置は人類の見つけられない場所へ隠《かく》れてしまっていた。
装置は、南極の氷の下に埋《う》もれてしまっていたのである。
人類がそれを見つけたのは、
南極の氷がすべて解けたあとだった。
すでに地球温暖化は、回復不能なレベルまで進行し、
いまさらどんな装置が見つかろうと、
後の祭りでしかなかったのである。

第61話

プロポーズの日に

レストランに、女の大声が響《ひび》いた。

「別れるって、どういうことよっ?」

そして、向かいに座る男に、手当たりしだいにモノを投げる。

「この前、こっそり1人で出かけたでしょ。

帰ってきたとき、様子が変だった。誰と会ってたの!

私はあなたのことを、こんなに愛しているのにっ!」

次々に飛んでくるものを避《さ》けながら、男が言った。

「ちょっと待って。ごめん! 今の別れ話は嘘《うそ》なんだ」

「えっ? 嘘? どういうこと?」

「君の本当の気持ちを確かめたくて……。

この前、出かけたときに買ったこれを渡す前に」

差し出された男の手には、ケースに入った輝く指輪。

「どうか、僕と結婚してください!」

女は目に浮《う》かべた涙《なみだ》をうれし涙に変えて、男に抱きついた。

俺は言葉を失った。

意を決して、彼女に指輪を差し出した瞬間《しゅんかん》、背後《はいご》の席からワイングラスが飛んできて、後頭部に命中したのである。

髪の毛はビショビショ。

この日のために買ったスーツも、グショグショである。

どうやら、背後の席のカップルがケンカを始めたらしい。

カップルの女のほうが、彼氏に向かって、手当たりしだいにモノを投げ、
その流れ弾《ながだま》が、俺に向かって次々と飛んでくる——。

首筋《くびすじ》にフォークが刺《さ》さり、血も噴《ふ》き出《だ》す。

もはやプロポーズどころではない。

一方、背後の席では、カップルが抱《だ》き合《あ》っている。

ケンカから一転、プロポーズが成功したらしい。

その喜びの陰で、ボロボロになった俺は、
一世一代のプロポーズに失敗した。

第62話

ワーク・ライフ・バランス

上司と部下の2人が、食事をしながら、互《たが》いの仕事観について語り合っていた。

自己主張の強そうな若者が言った。

「僕は、絶対に残業なんかしませんよ。僕の仕事が遅《おそ》いわけじゃないし、プライベートを犠牲《ぎせい》にしてまで、仕事をしたって、いいことなんてないですから。『ワーク・ライフ・バランス』が大事なんですよ」

上司が、なだめるように言う。

「時間通りに終わるのが理想だろうけど、そううまくいかないのが仕事だからなぁ」

「いやいや、僕は絶対に残業しませんから。定時になったら、何があろうと、仕事を切り上げますよ」

機長が、緊張《きんちょう》した面持《おもも》ちで言った。

「この悪天候だと、なかなか安定した飛行ができないな。目的地に到着《とうちゃく》するのも、だいぶ遅《おく》れそうだぞ」

その言葉が耳に入っているのかいないのか、若いコ・パイロットが、シートベルトを外しながら言った。

「そろそろ予定終業時刻ですが、到着は無理そうですね。僕、残業はできませんので、定時になったら着替《きが》えて、客室のほうで到着まで休ませていただきます。機長も、残業はほどほどにしたほうがいいですよ」

第63話

イジメ対策

その少年は、学校でひどいイジメに遭《あ》って、
不登校になってしまった。
だが彼は、イジメに負けない、
「強い自分」になろうと決めた。
暴力などに屈《くっ》しないよう、少年は体を鍛《きた》え、
自信なさげな話し方もやめた。
そんな少年を、両親はいつも見守り、応援《おうえん》し続けた。

そしてとうとう、少年が学校に戻《もど》る日がやって来た。
少年は、勇気を出して堂々《どうどう》と振《ふ》る舞《ま》った。
これまで少年をイジメていた生徒たちも、
どこかびくびくした態度《たいど》で、丁寧《ていねい》に接してくる。
――僕は、自分の力で、イジメを撃退《げきたい》したぞ！
少年は、心の中で大喜びした。

その少年は、気づいていなかった……。
両親が学校内に潜入《せんにゅう》し、つかず離れずの距離《きょり》から
少年をこっそり見守り続けていたことを。

ビクビクしているイジメ加害者たちは、
少年を恐《おそ》れているのではなく、
少年の両親に恐怖《きょうふ》を覚えていたのだ。
両親は眼《め》にギラギラと怒りをたぎらせ、
鬼《おに》のような形相《ぎょうそう》で彼らを監視《かんし》している。
「うちの子に何かしたら、ただじゃおかない」
という雰囲気《ふんいき》で。
そのあまりの迫力《はくりょく》に、全校生徒も教員も
何も言えず、口を出すこともできなかった。

第64話

退屈《たいくつ》な落語家

何を話してもおもしろくない、下手な落語家がいまして、どんな噺《はなし》をやっても退屈で、まったく人気がない。寄席《よせ》に出ても、本人は一生懸命《いっしょうけんめい》、話しているのに、気づけば、客が全員、コックリコックリ、舟をこぐ始末。本人もさすがに自分の才能のなさを悟《さと》って、そろそろ廃業《はいぎょう》しようかと考えていた、その矢先。とある会社の社長が、その落語家を訪ねてきた。

「ええっ？　私の噺を録音して商品化したい？」

「そう、あなたの噺はすばらしい！　大丈夫《だいじょうぶ》！　必ず大ヒットすると保証します！」

社長は、「絶対売れる」の一点張り。そして発売された落語家の噺は、なんと本当に空前の大ヒットを飛ばしたのでございます。

実は、その社長というのは、皆《みな》さんもご存じの、某《ぼう》大手寝具《しんぐ》メーカーの社長だった。睡眠《すいみん》に悩《なや》む人間の多い現代。その落語家の噺《はなし》は、聴くと必ず眠《ねむ》れる音声として発売され、その確かな効果から、大評判となったわけです。

このヒットのおかげで、落語家自身も一躍《いちやく》、時の人。ぜひ一度、噺を生《なま》で聞きたいという客が、寄席《よせ》に押《お》し寄《よ》せて、満員御礼、大入りの客を前に、落語家も気合いを入れて話を始める。

すると、待ってましたとばかりに、客は一斉に、コックリ、コックリ……みんな寝息《ねいき》を立て始める。

人気になったとはいえ、落語家は複雑な気持ちでついつい、ボヤいてしまうのでございました。

「ああ、まだ噺の本題にも入らないのに、皆さん、よくお眠《ねむ》りで……これぞ本当のマクラ話ですな」

おあとがよろしいようで。

第65話

美しくない姫

昔々、ある国に、美しい王と王妃がいた。
誰もが称賛《しょうさん》を惜《お》しまない、まさに絶世の美男美女。
しかし、そんな2人の間に生まれたひとり娘は、
まるで美しくなかった。
自分たちの美しさに似《に》ても似《に》つかぬ姫だったが、
王と王妃は、娘を深く愛した。
しかし、自分の容姿《ようし》を気にする姫は、
城から出ることはなく、ひきこもって生活した。
王と王妃は、娘の容姿などは気にしなかったが、
娘を慮《おもんぱか》って、娘を人目につかないようにして育てた。
姫が城にこもっていたのは、容姿だけが問題ではなく、
体が病弱だったことも原因だった。
その後、姫は、病気が元で、
王と王妃に看取《みと》られながら、若くしてこの世を去った。

わたし、
こんな顔、
恥《は》ずかしくて、
外に出られない！

姫の病死が、国民に伝えられた。
人々は、姫の姿《すがた》を一度も見たことがなかったが、
あの王と王妃の娘なのだから、
美しかったに違いないと噂《うわさ》しあった。
まだ若い、悲《ひ》劇《げき》的《てき》な死の印象も相まって、しだいに、
姫は王妃より美しかったとさえ、囁《ささや》かれるようになった。
やがて、真相を知ってか知らずか、
「姫を殺したのは、美しさに嫉妬《しっと》した王妃だ」という話が
まことしやかに語られ始めた。
長い年月、噂は尾ひれをつけ足しながら、語られ続けた。
「姫は、毒リンゴを食べて死んだ」
「その毒リンゴを渡したのは、老婆《ろうば》に変装した王妃だった」
「魔法の鏡が、王妃の質問に答えた」
「王子のキスで姫は生き返り幸せになった」……。
こうして、美しくない姫は、
「世界一美しい姫」として人々に知られるようになった。
その姫の名を、白雪姫という。

第66話

強い男

「昔から、ずっと好きだった。僕と結婚して、いっしょになってくれないか?」

男のプロポーズに、女はうなずかず、首を振《ふ》った。

「ごめんなさい。いざというとき、私を守ってくれるような人じゃないとイヤなの」

女の返事に、男は悲痛な声で言った。

「だから、キミのために体も鍛《きた》えたんだ。僕は強くなった。それでもダメなのかい?」

「あなたは強くない。あなたには、足りないものがあるのよ。今のあなたじゃ、私を守ることはできないわ……」

「そんな……キミの言う『強さ』って、いったい何なんだ……?」

女は驚いたような表情で答えた。
『強さ』は何かですって？
そんなの、もちろん『筋肉』に決まっているわ！
鍛《きた》えた？　そんなほっそりした体で
何を言っているの！
あなたには、まだ、ぜんぜん筋肉が足りない！
私以上の筋肉がなくちゃ、
私でも勝てないマッチョな相手が現れたとき、
私を守ることなんてできないでしょ！
私と結婚していっしょになりたいなら、
その前に、まず最低限、
私と同じくらいの筋肉をつけなさい！」
「そんな～。いくら何でも、
キミみたいな筋肉をつけるのは無理だよ～！」
ムキムキの筋肉を見せつける、たくましい女の前で、
細身の男は情けない声を上げるしかなかった。

第67話

警察官にご用心

「今、裏《うら》の通用口から、こちらの店に逃走中《とうそうちゅう》の強盗犯《ごうとうはん》が侵入《しんにゅう》しました！　外へ避難《ひなん》を！」

突然《とつぜん》入ってきた警察官の言葉に、宝石店の客と店員は驚き慌《あわ》てて、出入口へと移動した。

警察官は、それを見てほくそ笑んだ。

――誰も俺が、変装をした詐欺師《さぎし》とは気づいてないようだ。

これで、誰も見ていない間に、宝石を盗《ぬす》み出《だ》せる。

すべて計画通りだと思った、その時――。

「どうした？　何かあったのなら、応援《おうえん》を呼《よ》ばないといけないぞ？」

そう言って、本物の警察官が店に入ってきた。

「はっ、すぐに応援を要請《ようせい》して参ります」

しかし、俺は慌《あわ》てず、うまく帽子で顔を隠《かく》すようにし、一礼をして、見事に宝石店からの脱出《だっしゅつ》に成功した。

──まさか、本物の警察官に遭遇《そうぐう》してしまうとは！
一瞬《いっしゅん》、驚いたものの、
俺は、すぐに落ち着きを取《と》り戻《もど》した。
こんなことで動揺《どうよう》しているようでは、
一流の詐欺師《さぎし》とは言えない。
俺は、帽子で顔を隠《かく》すようにして、
堂々とした口調で、本物の警察官に言った。

「どうした？　何かあったのなら、
応援《おうえん》を呼《よ》ばないといけないぞ？」

第68話
小さなかけら

ある考古学者が、古代文明の解明の手がかりになる、遺物《いぶつ》のかけらを見つけた。
残りの部分も見つけて、全体を復元できれば、世紀の大発見となるだろう。
考古学者は大いに喜んだが、
助手は、それほど喜ぶ気になれなかった。
「見つけたと言っても、そんなかけらひとつにそんな意味があるんですか？
大部分は見つかっていないんですよ？
『大部分が見つかって、あとは小さなかけらを探すだけ』
というならまだしも、
そんなちっぽけなひとかけらが見つかったからって、
いったい何になるというんです？」

これを見てくれ！
そんなちっぽけなかけらだけで嬉《うれ》しいんですか？

考古学者は、微笑《ほほえ》んで言った。
「それは逆だよ。仮《かり》に大部分を見つけても、
残った、小さなかけらを
探し出すのは難しい。
最後のひとかけらが見つけられずに
夢をあきらめた学者を、私は何人も見てきた。
しかし、私たちは最初に、
その小さなひとかけらを見つけたんだ。
残った、まだ見つかっていない部分は、
このかけらよりずっと大きい。
どうしてそれを見つけられないと思うんだい？」

第69話
飽《ほう》食《しょく》

とある国に、資産家の婦人がいた。
身の回りのものは何でも一級品。
いつも最高級の食料品を食べ、
ぜいたくな生活をしていた。
そんな彼女の暮らしぶりに、
一部の人々から、批判《ひはん》が巻き起こった。
「この世界には、餓死《がし》する人もいるのに、
自分ばかり、いい生活をするな！
貧《まず》しい者を助けるのが、富める者の義務だろう！」
そうした声を受けて、彼女はある日、宣言《せんげん》した。
「皆さんのご意見、もっともです。
私にも、飢えに苦しむ人々を救いたい気持ちはあります。
私がふだん食べているのと同じ最高級の食品を
飢えで苦しむ人々のいる国々へ寄付《きふ》しましょう！」

すばらしい食品を贈《おく》られた
貧しい国の人々は歓喜《かんき》した。
これだけの食料があれば、
栄養不足に悩む子どもたちも
生きていくことができる。
しかし、その喜びはすぐに消え失せた。
食品には、こう書かれていたからだ。
『最高級健康食品…カロリー0』

第70話
裸《はだか》の王様

パレードの日、広場に集まった国民たちは驚《おどろ》いた。
王様が、パンツ1枚で現れたのだ。
そんな情けない、おかしな格好をしながら、
態度はいつものように、厳《おご》かで偉《えら》そうにしている。
思わず吹《ふ》き出《だ》してしまいそうな光景だったが
王様を怒らせないよう、みんなこらえていた。
しかし、1人の子どもが「王様は裸だ！」と叫《さけ》んだ。
そのとたん、誰もが耐《た》え切《き》れなくなって
一斉に笑い出した。
「王様は、『バカには見えない服』だとだまされて、
ありもしない服を買って、それを着てきたんだ！」
そんな話が、どこからか漏《も》れ伝《つた》えられ、
パレードが終わった後も、王様はそのマヌケさを国民に
噂《うわさ》され、笑われ続けることになった。

『バカには見えない服』を買ったという噂《うわさ》を、国民たちはうまく信じたようです」

王宮の中、大臣の報告を聞いて、王様は高らかに笑った。

「結構、結構！　たまにはマヌケなところを見せて、国民の感情をガス抜きしてやらんとな。厳しい政策で締《し》めつけてばかりいて、反乱でも起こされてはたまらんからな」

「王が裸《はだか》でパレードに出た話でもちきりになって、これまで騒《さわ》いでいた細かい失政に対する不満など、国民たちはすっかり忘れてしまったようです」

王様は満足そうにうなずいて、ふたたび笑った。

「わしはピエロを演じて、見事、国民の目をそらした。わしにとって、あの裸姿《はだかすがた》は道化の衣装《いしょう》だったわけだ。バカな国民はそれに気づかなかった。まさにわしは『バカには見えない服』を着ていたというわけさ。ハッハハッハ……」

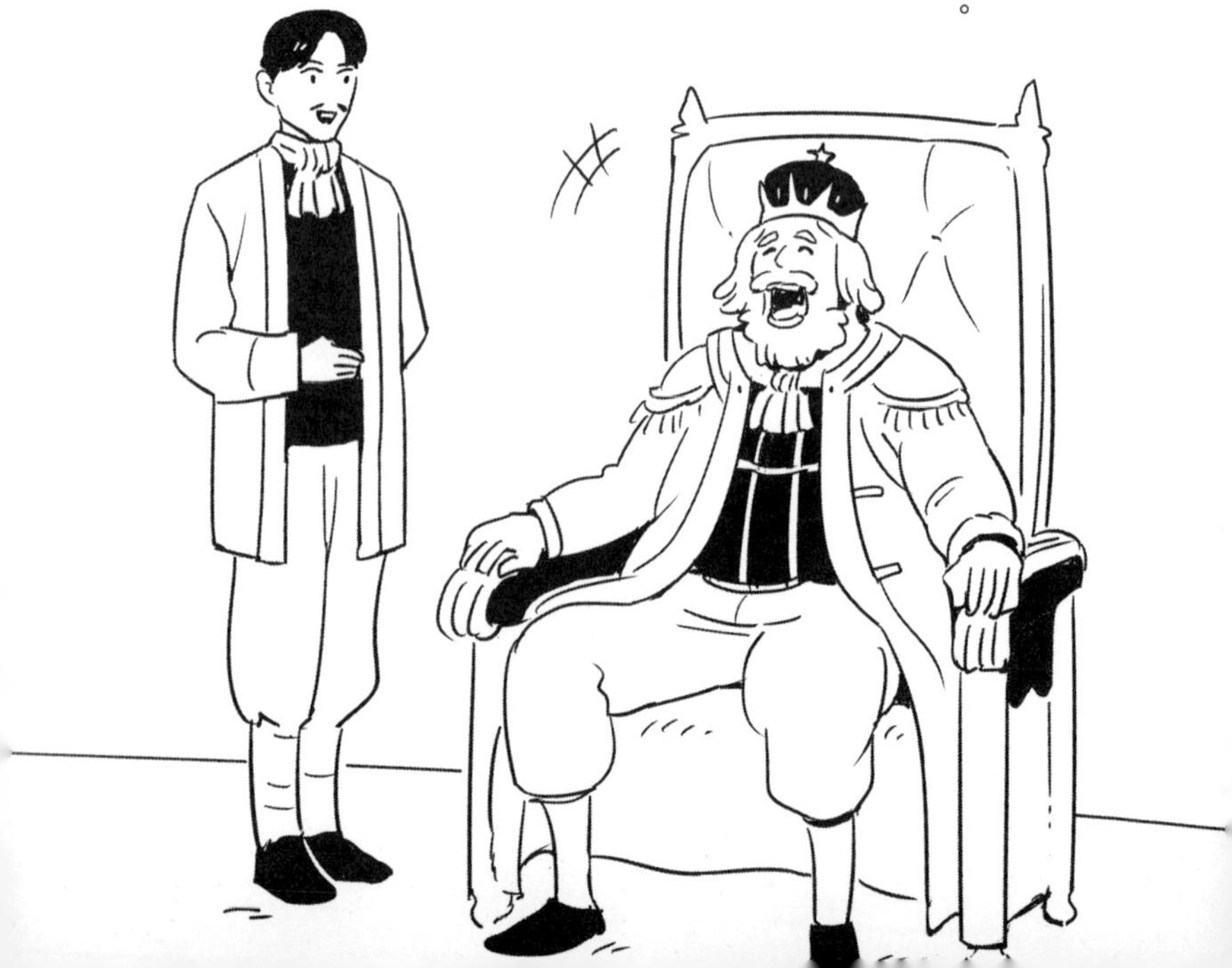

第71話

暴れる殺人鬼

真夜中、男はけたたましいチャイムの音で目を覚ました。
ドアが激しくノックされ、叫《さけ》ぶような声もする。
男が住んでいるのは、人家もまばらな町はずれ。
こんな深夜に訪ねてくる人間など、まずいないはずだ。
――いったい何事だろう？
不気味に思いながらインターホンのカメラを見ると、
そこにいたのは、後ろをキョロキョロ見ながら震《ふる》える
かよわそうな少女だった。
「助けて！　殺人鬼が暴れているのっ！」
追《お》い詰《つ》められたその表情は、それがイタズラだとか、
嘘《うそ》などではないと信じるのに十分なものだった。
男はおびえる少女を家の中に入れ、
しっかりと施錠《せじょう》をしたうえで、ドアスコープから
目を凝《こ》らして、暗い外の様子をうかがった。

男はしばらく外を見ていたが、怪《あや》しい気配はなかった。

「大丈夫、もうこの近くに怪しい人間はいないみたいだ」

しかし、少女は怯《おび》えて興奮《こうふん》したまま言った。

「いいえ、殺人鬼はいるの！　この中に！」

男は驚いて、家の中を見回した。

「まさか、そんなはずない。鍵《かぎ》は全部、閉まってるんだ。物音だってしない。家の中にいるのは、僕と君だ」

少女は、自分の頭をギリギリと押さえつけて叫《さけ》んだ。

「違うの！　家の中じゃない！

殺人鬼が暴れてるのっ、この中で！」

そう言って、少女は、自分の体を指さした。

「できるだけ人のいないほうへと逃《に》げてきたけど、もう止められない！　助けて！　私を止めて！」

少女の顔を見て、男はゾッとした。

少女の顔が、禍々《まがまが》しい顔へと変貌《へんぼう》していく。

次の瞬間、殺意のかたまりとなった少女が、男へと飛びかかった。

第72話

人類洗《せん》脳《のう》計画

「博士、これはいったい、どういうことです?」

研究室に設置された機械を見て叫《さけ》ぶ助手に、
博士は不気味な笑みを浮《う》かべ答えた。

「私の発明が、ついに完成したのだよ。

君には隠《かく》していたが、私が作っていたのは、

『人類洗脳装置』だったのだ。

この装置を使えば、人間を意のままに操《あやつ》ることができる。

これから、この装置を作動させる」

そう言うと、博士は、勢いよく装置のレバーを引いた。

しかし、装置はうんともすんとも言わず、動かない。

「ど、どういうことだ?」

「博士、そんな装置が作れるはずないんです!」

助手の言葉に、博士はよろめいた。

「長年の研究は、何のためだったんだ……」

——危《あぶ》ないところだった。

「人類洗脳《せんのう》装置」の設計にミスなどなかった。
博士は完璧《かんぺき》に装置を完成させていたのだ。
それは、機械作動後の博士の様子を見ても明らかだ。
博士の企《たくら》みに、機械の完成前に気づいた私は、
できあがった装置を博士が使う前に、
博士自身にだけ影響《えいきょう》があるような設定で、
その機械を作動させ、洗脳することにした。
『人類洗脳装置』の開発が失敗に終わった」という、
ニセの記憶を、博士の脳《のう》に刷《す》り込《こ》んだのだ。
博士は洗脳されたことすら、わかっていない。
もはや二度と、装置を作ろうとは思わないだろう。
助手は、うろたえている博士を見ながら思った。
——博士の頭脳は人類の宝だ。強い洗脳は避《さ》けたい。
もっと人の役に立つ発明をしてくれるような
洗脳でもしてみるか……。

第73話

少年の夢

あるところに、貧《まず》しい生まれの少年がいた。
「僕には、大きな夢がある。
でも、今日、食べるものにすら困《こま》っている
こんな環境で、その夢が叶《かな》えられるわけがない……」
少年が肩《かた》を落とすと、そこに悪魔《あくま》が現れた。
「お前みたいな貧乏人《びんぼうにん》が、大きな夢だって？
それは興味深い。お前のその夢、叶えてやろうか？」
意地悪く笑う悪魔に驚《おどろ》きながらも、少年は答えた。
「望みを聞いてくれるなら、悪魔だってかまわない。
お願いだ。僕の夢を叶えてくれ！」
十年後、メジャーリーグのマウンドに少年は立っていた。
貧しい生活から夢をつかんだ、最年少メジャーリーガー
として、彼は大活躍《だいかつやく》している。

マウンドで、息を切らしながら、
かつての少年はつぶやいた。
「ああ、くそっ！　あの悪魔《あくま》にしてやられた。
メジャーリーガーになんて、なりたくもなかったのに。
練習も大変だし、試合は緊張《きんちょう》する。
肉体的にも、精神的にもきつい！
観客のヤジも耐《た》えられない。
プライベートはないし、
自由にできることなんて、何一つない。
そもそも、野球なんて、まったく興味ない！
俺の夢はただ、
『お金持ちになりたい』ってだけだったのに。
たしかに、高額の年俸《ねんぽう》は手に入ったが、
めんどくさい夢の叶《かな》え方《かた》しやがって！」

第74話 幽霊《ゆうれい》の正体

藤木《ふじき》が研修医《けんしゅうい》として、この病院で働くようになって1ヵ月が経った。研修医の仕事は楽ではないが、なんとかやりがいを見つけることができている。

——今日は当直か。何事も起こらなければいいけど。

「この病院、出るんだよ」という噂《うわさ》を聞いたことがあったが、藤木の心配は、むしろ、「急患《きゅうかん》が出ないでほしい」ということだった。

しかし、藤木が当直について数時間が経過《けいか》した深夜——。

1人の女性看護師《かんごし》が血相《けっそう》を変えて当直室にやってきた。

「藤木先生！　815号室の田渕《たぶち》さんが急変です！」

藤木は急いで、個室である815号室に向かった。

そして、病室の扉《とびら》をガラッと開けると——そこには、入院患者の姿《すがた》はなく、病室はもぬけの殻《から》だった。

「どういうことだ……？　患者はどこだ？」

からっぽの病室で呆然《ぼうぜん》とたたずんでいた藤木は、

「何があった？」と背後《はいご》から声をかけられて振《ふ》り向《む》いた。

そこに立っていたのは、藤木の指導医《しどうい》だった。

指導医は藤木の話を聞くと、神妙《しんみょう》な顔つきでつぶやいた。

「そうか、また出たのか……」

「え？『出た』って、まさか……。
噂《うわさ》には聞いてましたけど、亡《な》くなった入院患者《かんじゃ》さんの
幽霊《ゆうれい》……ですか？　不慮《ふりょ》の事故があったと聞きましたが」

しかし、藤木の言葉を聞いた指導医は、

「いや……」と力なく首を横に振った。

「出るのは、患者さんの幽霊ではなく、
きみに知らせに来たという看護師《かんごし》の幽霊だ。
彼女は、ずっと以前に勤《つと》めていた看護師さんで、
激務《げきむ》がたたったのか、夜勤《やきん》の日に倒れてね……。
彼女が倒れたことで、急患の患者さんの処置が間に合わず
亡くなったんだ。彼女、自分の死を悔《く》やんでいるらしく、
今でも、たまに『急変』を告《つ》げに現れるんだ」

第75話

副業の占《うらな》い師《し》

ふだん、私は、開業した夫と一緒に働いている。
しかし、経営《けいえい》は順調とはいえず、
私は、家計を支えるために、副業で占い師を始めた。
独学で勉強はしたものの、
占いなんて、外すこともしょっちゅうだ。
恋愛や金銭《きんせん》などの悩《なや》みを相談されても、
的外れなことばかり答えてしまうこともある。
ただ、「あるジャンルの悩み」だけは、
高確率で言い当てることができたし、
よいアドバイスもできている自信がある。

どうしたらいいんでしょう?
私にははっきり原因が見えます!

私の本職は看護師《かんごし》。
だから、「健康の悩《なや》み」だけは、
的確《てきかく》に見抜くことができるし、
アドバイスもできる。

「霊《れい》があなたの心臓《しんぞう》に憑《と》りつき、
心臓のポンプ機能を低下させているようです。
それが、「胸が苦しい」理由です。
循環器科《じゅんかんきか》を受診《じゅしん》するのがいいでしょう。
……あなたの霊を祓《はら》うのに、
ぴったりの病院を占って差し上げましょう」

今日の客にも、
夫が経営《けいえい》している病院を
紹介しておいた。

第76話

虹《にじ》のふもと

「虹のふもとには、宝物が埋《う》まっているんだぞ」

父親から、そんな話を聞いて、息子は言った。

「そんなのウソだよ。宝物なんてないよ」

あまりに夢のない息子の言い草に、父親は腹を立てた。

「なぜウソと決めつける？　虹のふもとを、お前は自分の目で確かめたことがあるのか？　夢のために行動し、自分の目で見てみたのか？」

叱《しか》るように言う父親に、息子は言い返した。

「もちろんあるよ」

息子が意地を張ってウソをついているのだと思った。

「いったい、いつ見たというんだ？」

しかし、息子はこともなげに答えた。

「今すぐにだって、見られるよ。お父さんもいっしょに確かめてみる？」

息子は父親を連れて、家の庭に出た。
そして、ホースのシャワーで水をまき始めた。
光が反射して、その水の中に虹《にじ》が浮《う》かび上《あ》がる。
「ほら、虹のふもとって言うと、
だいたい、あのあたりでしょ？
うちの庭に宝物が埋《う》まってるって言うなら、
掘《ほ》ってみようよ。
虹なんて、簡単に作れるんだよ。
虹のふもとになんて行けないって
先入観で思ってしまって、
何も行動してないのは、
お父さん自身なんじゃないの？」
シャワーでできた虹を指さして、
そう言う息子に、
父親は何も言い返すことができなかった。

第77話

太る一人暮らし

大学生になった私は、念願《ねんがん》の一人暮らしを始めた。
何をしても、何をしなくても、
親に文句を言われないから、本当に楽しい。
でも、そんな自由な生活ゆえの問題が生じた。
どうやら一人暮らしを始めてから、
私の体は、どんどん太っているようなのだ。
実家で親にご飯を作ってもらっていた時より
今のほうが、食べている量は少ないはずなのに、
お気に入りの服が、日に日にキツくなって
着られなくなっていく。
せっかくの一人暮らしなのに、
これじゃあ、全然楽しめない！

「心配して様子を見にきてみれば、まったく、だらしないわねぇ。こんな散らかしっぱなしで……」

一人暮らしの娘の部屋を訪ねた母親は、あきれたように言った。

「あんた、洗濯物《せんたくもの》も全部いっしょに洗ってるでしょ？ダメよ。こういう服は、洗濯機の手洗いモードで分けて洗わなきゃ、どんどん縮んじゃうんだから……」

母親の小言を聞いて、娘はハッとした。

「そっか！　着られなくなったのは、服のほうが縮んだからで、私が太ったんじゃなかったんだ！な～んだ、よかったぁ～！」

叱《しか》ったつもりが、ニコニコと喜ぶ娘を見て、母親はため息をついた。

第78話

険《けわ》しい道のり

道なき道を、少年が進んでいる。
草木をかき分け、崖《がけ》を登り、谷を下り、
一歩踏《ふ》み外《はず》せば、
奈落《ならく》の底へ真っ逆さまになるような
細い崖ぞいの道をも、果敢《かかん》に歩んでいく。
とつぜんの落石が、少年の体をかすめる。
一瞬の油断もできない。毒蛇《どくへび》や危険《きけん》な猛獣《もうじゅう》もいる。
この過酷《かこく》な道の先に、何があるというのだろう？
富？　名誉《めいよ》？　それとも……？
夜明け前から歩き続け、
太陽が高い位置にくる頃、
少年は、ついに目的地にたどり着いた――。

キーンコーンカーンコーン。
過酷《かこく》な道のりの先にあったのは、
少年の通う学校だった。
「はーい、急いで教室に入って」
「先生、毎日、こんな険《けわ》しい通学路で
通うのはつらいです。
ずっと命がけの冒険《ぼうけん》をしているみたいです」
「たしかに、危険《きけん》な冒険ね。
私たち大人も、何とかしたいと考えているわ。
でも、この冒険で手に入れられる『学問』って、
あなたにとって、
もっとも大切な宝物になるはずよ。
がんばって！　あと少しで皆勤賞《かいきんしょう》よ！」

第79話

猫《ねこ》は飼《か》い主《ぬし》に似《に》る

その女性は、仕事に忙殺《ぼうさつ》される毎日にイラだっていた。
自由にのんびりする時間もなく、
表情は険《けわ》しくなり、ストレスもピークに達した。
「疲《つか》れた！　もう限界！　癒《いや》しがほしい！」
そして、癒しを求めて、彼女は猫を飼い始めた。
のんびりくつろぐ猫を真似《まね》して、
隣《となり》でごろ寝《ね》をしてみたら、とても幸せな気分になれた。
「私も猫みたいに、もっと自由になろう！」
一大決心した彼女は、ライフスタイルを変えた。
残業はやめて、自宅で猫と遊んで過ごし、
今、最高の自由を満喫《まんきつ》中である。
「無邪気《むじゃき》に猫とたわむれるのって、最高！
猫は飼い主に似ると言うけど、
飼い主も猫に似るのね！」

その猫《ねこ》は、飼《か》い主《ぬし》に抱《だ》きつかれ、
自由を奪《うば》われる日々にイラだっていた。
最近、飼い主はすぐに家に帰ってくるし、
ずっと家にいて、猫の身体中をしつこく触《さわ》ったり、
身動きがとれないよう、きつく抱《だ》きしめたりするのだ。
だから、全然気が休まらない。
疲《つか》れ切《き》った猫の表情は険《けわ》しくなり、
ストレスもピークに達していた。
今、猫の表情は、
かつての飼い主とそっくりであった。
やはり、猫は飼い主に似るようだ。

第80話

希望を捨てないゾウ

その子ゾウは、希望を捨てなかった。

人間に捕《とら》われ、クサリで杭《くい》につながれ、
見世物小屋で、こき使われる日々。
どんなに力をこめて引っ張っても、杭は抜《ぬ》けず、
逃《に》げようとすれば、ゾウ使いの人間にムチで打たれる。

あまりにもつらい日々だったが、
子ゾウは希望を捨てなかった。
――いつか必ず、仲間の象が助けに来てくれる!
そう信じて、子ゾウはひたすら待ち続けた。

どんなにつらくても、仲間を信じてあきらめない。
そして、とうとう……。

そして、とうとう……。
捕《つか》まってから十年が経った。
仲間は今日も助けに来ないが、
それでもゾウはあきらめない。

――いつか仲間が助けに来てくれる！
まだ希望を捨てずに、信じ続けていた。

そのゾウは、すでに大人になっていた。
仲間の助けがなくても、自力で杭《くい》を破壊《はかい》して、
逃《に》げ出《だ》すこともできるほどの
大きさとパワーを身につけていた。
しかし、ゾウはそのことに思《おも》い至《いた》らず、
今日も杭につながれていた――。

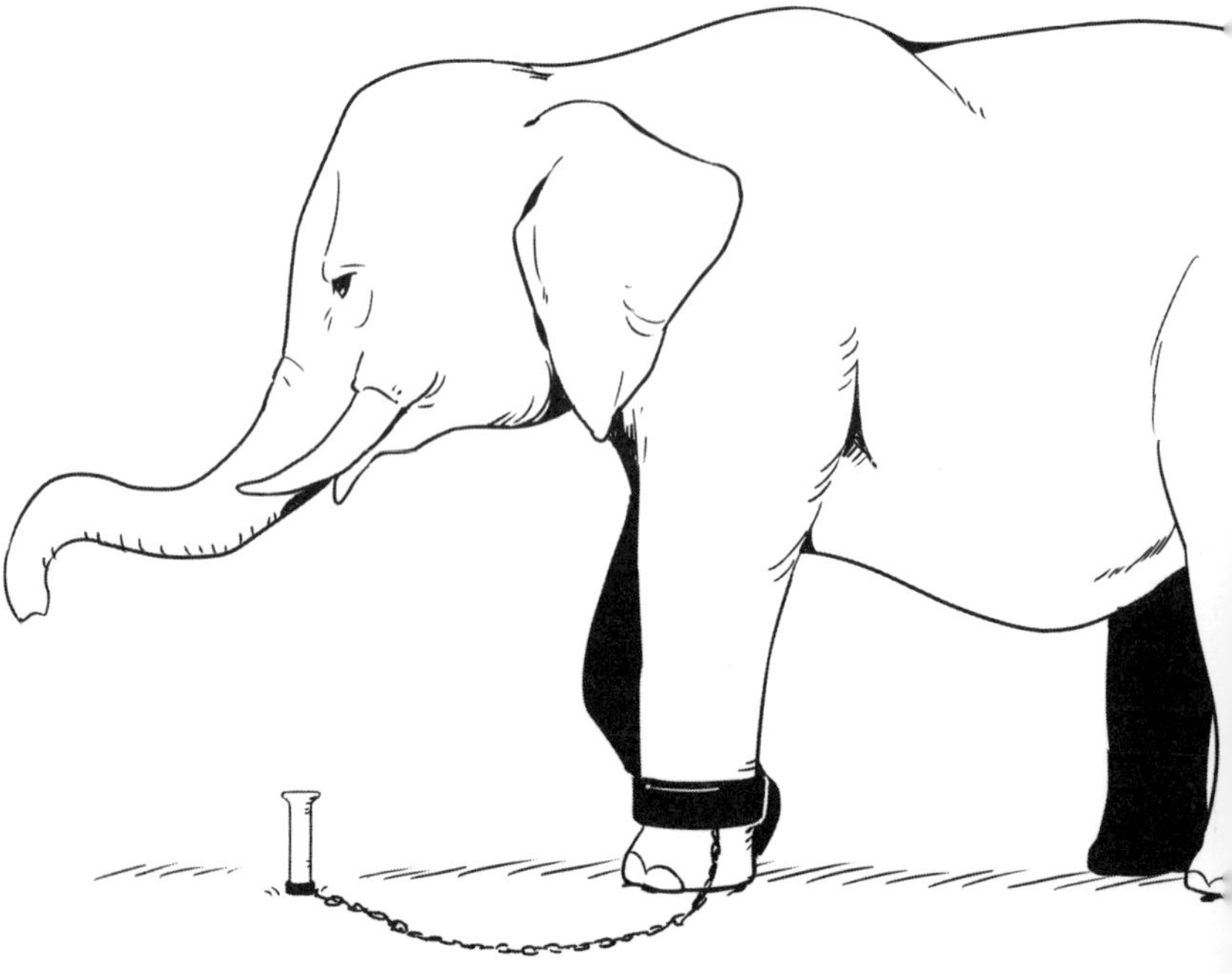

第81話

夫の稼《かせ》ぎ

女が1人、バーのカウンターでグラスを傾《かたむ》けながらため息をついていた。

そこに、1人の男が近づいてきて声をかけた。

「どうしたんです？　美しい顔が台無しですよ」

女はやりきれない様子で答えた。

「夫の稼《かせ》ぎが悪くて、困《こま》っているの……。

会社の業績が悪くて、収入が半分になっちゃったのよ」

男はキザな微笑《ほほえ》みを浮《う》かべて言った。

「それは大変ですね。でも、思いつめるのはよくない。

今日はそんな悩《なや》みは忘れて、パーッと遊びませんか。

おごりますよ。僕はこう見えて、世界的大企業である、

あのビッグスラック社に勤《つと》めているんです。

仕事は、サボりながら、テキトーにこなしてますが、

あなたを楽しませるくらいの稼ぎはあるんですよ」

女は、ふたたびため息をついて言った。
「夫の会社の業績が悪い理由がわかったわ。
私の夫は、そのビックスラック社の社長よ。
社長が社員の給料は下げないように
がんばっているのに、
肝心《かんじん》の社員のほうが、その給料を自慢《じまん》して、
夫のいる相手をナンパしたり、
『仕事は、テキトーにこなしている』自慢を
したりしているようじゃ、
会社の業績が落ちるのも当然ね」

第82話

ささやかで立派な、僕の願い

「お前の願いを言ってみろ。何でも叶《かな》えてやる」

突然《とつぜん》現れた悪魔《あくま》にそう言われた僕は、

ためらうことなく即答した。

「世界中の人々の心が一つになった、

戦争のない平和な世界を作ってほしいです！」

「……まったくつまらん願いだな。そんなきれいごとを、

恥《は》ずかし気もなく語る奴《やつ》をはじめて見たぞ」

悪魔は不愉快《ふゆかい》そうに顔をしかめた。

「そもそも、お前の願いは抽象的《ちゅうしょうてき》すぎて理解できん。

例えば、『心を一つにする』の意味が俺には分からん。

もっと具体的に言ってみろ」

悪魔にそう言われ、「たしかにそうかもしれない」と思い、

僕は、なるべく具体的になるよう、考え直した。

そして、一生懸命《いっしょうけんめい》に考えた結果、
具体的な「願いごと」がまとまった。
「まず、世界中の人々に、僕とまったく同じ
考えや価値観を持たせてください！
誰かが世界の人々を統率しなければならないなら、
僕が責任をもってその仕事を引き受けます。
その代わり、誰ひとり僕に反抗的《はんこうてき》な考えはもたず、
僕の意見や命令に従《したが》うようにしてください。
争《あらそ》いなんて起こらないはずです。
そうすれば、僕の思い描く、
『世界中の人々の心が一つになった、平和な世界』
が、すぐに実現すると思うんです！
僕の言葉を黙《だま》って聞いていた悪魔《あくま》は、
「――なるほど。たしかにそれなら、わかりやすいし、
いい考えだ。さっきは、『つまらん』なんて言って、
申《もう》し訳《わけ》なかったねぇ。『平和』を願うなんて立派だ」
悪魔は、にやりと唇《くちびる》を吊《つ》り上《あ》げ、満足そうに微笑《ほほえ》んだ。

第83話
出藍《しゅつらん》の誉《ほま》れ

少女マンガ家・夢森いずみの前に、
1人のアシスタントが立って言った。
「夢森先生、私はもう、このアシスタントの仕事を
辞《や》めさせていただきます」
夢森いずみは、突然《とつぜん》のことにキョトンとした表情をした。
「私もう、先生から学ぶべきことは何もありません。
この十年、先生は、
全然仕事をしてないじゃないですか。
もう私、自分の作品を創りたいし、創ってます
絵も物語も、
肝心《かんじん》のキャラクターだって、全部、私が創ってますから」
そしてアシスタントは、夢森とは違う雑誌で連載《れんさい》をもち、
彼女の作品は、徐々《じょじょ》に人気がで始めた。

元アシスタントの描くマンガは、徐々に人気がでて、
「一定の評価」を得ることとなった。
しかし、「大きな評価」を得ることはできなかった。

元アシスタントのマンガを読みながら
女子たちが雑談をしていた。
「このマンガの作者って、
夢森いずみの元アシスタントだよね。
絵も上手いし、キャラクターも魅力的《みりょくてき》だし、物語も面白い。
……ただ、全部、夢森いずみの二番煎《にばんせん》じっていうか、
『夢森いずみだったら、こうするだろう』っていう
予想を超えてこないのよね」
「そうそう、この十年で夢森いずみがやってきた路線を
うまく引《ひ》き継《つ》いでいるっていうか……」
「そういえば、夢森いずみって、連載《れんさい》もやめちゃったし、
この頃、全然、マンガを描いていないみたいだけど、
やっぱ偉大《いだい》だったんだね」

第84話
楽園と汚染《おせん》

元々豊かな生態系をもっていたその森林地帯は、
伐採《ばっさい》と開拓《かいたく》が進み、大きな化学施設《しせつ》が
建設されることになった。
薬品を開発する研究所と工場である。
施設の建設にあたっては、反対運動も起こったが、
建設が中止されることはなかった。
施設が稼働《かどう》を始めて数年後、
工場の大規模《だいきぼ》な事故が起こり、
その森林地帯は薬品汚染の危険性《きけんせい》から、
人間の立ち入りは禁止され、
そのエリアは、「死の森」と呼《よ》ばれるようになった。

人間の立ち入りが禁止されてから50年後——。

人間が立ち入ることのできないそのエリアには、
豊かな生態系が復活し、
かつて以上の「野生の楽園」が出現していた。
しかし、そのことを知る人間はいない。
いまだに、「立ち入り禁止」は
解除《かいじょ》されていないからだ。

あの化学施設《しせつ》を建設した企業は、
本当に薬品汚染《おせん》事故を起こしたのか？
それとも、生態系を復活させるために
事故を装《よそお》ったのか？
そんな議論も起こらぬまま、
「楽園」は、ひっそりと存在している。

第85話

危険《きけん》な料理

夫が浮気《うわき》をした。しかも、なんだかぱっとしない女と。
「二度と浮気をしない」と頭を下げられたが、
妻《つま》としてのつとめを完璧《かんぺき》にこなしてきた私のプライドは、
ズタズタにされた。自分のプライドを取《と》り戻《もど》すために、
私は夫の殺害を決意した。
私は何事においても、完璧にやってのける自信がある。
夫を亡《な》き者にするにしても、捕《つか》まる気は毛頭《もうとう》ない。
私は、検死を受けても発覚しない特別な毒を手に入れた。
この毒は、効果に個人差があり、即効性《そっこうせい》はないが、
毎日、少量ずつ摂取《せっしゅ》させることで、証拠《しょうこ》を残さず、
必ず相手を死に至《いた》らしめることができる。
私は夫の毎日の食事に、この毒を入れるようにした。
そして、しばらく経ったある日、
とうとうその効果が表れた。

蓄積《ちくせき》した毒の効果は強烈《きょうれつ》だった。
「ううう……！」
突然《とつぜん》うめき声をあげ、胸《むね》を押さえて倒《たお》れこむ。
しかし、胸を押さえて倒れこんだのは、
夫ではなく、私だった。
薄《うす》れゆく意識の中で、私は思い当たった。
夫が料理を美味《おい》しく感じて完食するよう、
完璧主義《かんぺきしゅぎ》の私は、毒を入れた夫の料理を、
毎日ちゃんと味見して仕上げてしまっていたのだ。
個人差があるとはいえ、まさか夫より先に、
私に毒の効果が現れるとは……。
プライドをもっていた自分の完璧さを、
最後に呪《のろ》った。

第86話

恋の催《さい》眠《みん》術《じゅつ》

僕には、ずっと前から片想いをしている女子がいる。
告白したいと思うけど、勇気が出ない。ふられるのが怖い。
相手も僕のことが好きだとわかれば、
安心して告白できるのに……。
そんな時、ネットで催眠術の方法を見つけた。
催眠術で、自分を好きになってもらおうなんて思わない。
それは卑怯《ひきょう》だ。ただ彼女の気持ちが知りたいだけなのだ。
僕は、ネットに書かれた方法を試してみた。
すると、本当に彼女は催眠術にかかった。
「僕のこと、どう思ってる?」
おそるおそる聞くと、彼女は答えた。
「好きよ。前からずっと好きだった」
僕はすぐに催眠を解き、そして、すぐに告白した。
彼女は微笑《ほほえ》んで、それを受け入れてくれた。

――やれやれ、ようやく告白してくれた。
告白が成功して喜んでいる彼を見て、
私は小さなため息をついた、
催眠術《さいみんじゅつ》なんて、そう簡単にかかるわけがない。
ずっと待っていたのに、
彼がなかなか告白してくれないから、
一芝居《ひとしばい》打ち、催眠術にかかったふりをしたのだ。
まったく、ここまでしないと、
勇気を出せないなんて……。
この度胸《どきょう》のなさは、これから付き合う中で、
私が鍛《きた》えていってあげなくちゃ。
そのために、まずは、もっと強い
「恋の催眠術」にかけなくちゃね。

第87話

王の墓《はか》

私の古くからの友人は、傍若無人《ぼうじゃくぶじん》かつ尊大《そうだい》な性格で、
周囲の人々から嫌われていた。
その結果、彼の周りからは、人が消えた。
すると、彼の虚言《きょげん》と攻撃《こうげき》の矛先《ほこさき》は、
数少ない友人の私に向かうようになっていった。
「俺は、近いうちに、この世界の王になる男だぞ。
その王のために尽《つ》くすのが、お前の仕事だろう」
ある日、彼の暴力に耐《た》えかねた私は、
とうとう反撃《はんげき》して、彼を殺してしまった。
こんな男のために捕《つか》まりたくはない。
私は、死体を絶対に見つからない場所に隠《いん》ぺいした。
それは、一般人立ち入り禁止の古墳《こふん》だった。
調査もすでに終わり、もはや見向きもされない古墳は、
社会から見向きもされない彼の墓に、ぴったりだった。

数千年後の未来――。
その日、ある重大な発見がされた。
うっそうと木々が茂《しげ》る森の中から古墳《こふん》が発掘《はっくつ》されたのだ。
おそらく、あの第四次世界大戦で、
文明がほろぶ前の遺跡《いせき》なのだろう。
そして、太古の王の墓とされる遺跡から、
遺骨も見つかった。
これは、この墓《はか》に収められた王の骨に違いない。
すぐに生前の顔の復元が進められ、
出来上がった顔は、古代の王の顔として、
世界的に報じられた。
その顔は、本当の古代の王の顔ではなく、
友人に殺害された、あの傍若無人《ぼうじゃくぶじん》な男の顔だった。
――俺は、世界の王になる男だ。
男の言葉は、長い時間を経て、
考古学の間違いから実現することになった。

3000年前か!?
古代の王の骨 発見！

第88話

リアリティのないマンガ

子どもたちが、古いプロ野球マンガを
読みながら話している。

「うわっ、ボールが2つに分身する魔球《まきゅう》だって」

「こっちは、時速200キロの剛速球《ごうそっきゅう》だよ！」

「おいおい、2メートルジャンプして、
ボールをキャッチしてるよ。笑えるんだけど」

「昔のマンガって、やっぱリアリティがないよね～」

200キロの剛速球《ごうそっきゅう》って、笑う！
リアリティがないよねー

子どもたちはみんな、「そうだそうだ」とうなずいた。
「本当にそうだよなぁ。
この程度でプロに通用するわけないよ」
「ボールの分身は最低5個、
速球なら300キロは超えなきゃ、
高校野球でも勝てないって」
『『2メートルのジャンプ』って、
それ、ジャンプじゃなくて、ホップだよね。
ジャンプ力っていうか、そもそも空くらい飛べないと……。
こんな低いレベルで、登場人物たちが騒《さわ》ぐなんて、
本当にありえないよなぁ」
さまざまな技術やバイオテクノロジーが発達した未来、
スポーツ選手の身体能力やテクニックは、
恐《おそ》るべき進歩をとげた。
そんな時代の子どもたちには、
古いマンガの超人的な描写は、もはやレベルが低すぎて、
まったくリアリティを感じられないものだった。

第89話

老人ホーム

「手厚いサービス」を売りにする、
とある老人ホームで、
老人たちが話している。
「いてて、ああ、誰か腰《こし》をもんでくれんかのう?」
「わしは肩《かた》たたきがいい。肩こりがひどくてな」
「おいおい、ぜいたくを言うんじゃない。
ここはスタッフが少ないんじゃから……」

「そうじゃ、ただでさえ人手が足りないんじゃから、腰《こし》や肩《かた》が痛いからって、さぼられちゃ困《こま》る」

「わかっとるよぉ……。はぁ、しかし、この年齢で老人ホームのスタッフをするのは、なかなか体にこたえるわい。さて、では、そろそろ午後の仕事を始めるか」

老人たちは立ち上がり、業務を再開した。

高齢化が進んだ未来の日本では、老人ホームのスタッフとして働く高齢者も、増加する傾向《けいこう》にあった。

自分より年老いた老人の世話をしながら、彼らはつぶやく。

『年をとった人間の気持ちに寄《よ》り添《そ》える』が、我々《われわれ》のホームの最大の特徴《とくちょう》だからのう。

ゆっくり話を聞いてあげるとしよう」

第90話

太る体質

「私って、何にもしなくても太る体質なのよね……。
一生懸命《いっしょうけんめい》ダイエットしたのに、全然やせなかったの」
ため息をつく友人を、私はなぐさめた。
「ダイエットをがんばりすぎて、
ストレスでリバウンドしちゃったんじゃない？」
ところが友人は、悔《くや》しそうに首を振《ふ》っている。
「リバウンドって、痩《や》せたから起こる現象でしょ。
私、一度も痩せたことないから。
本当に悔しいわ！」

友人は悔《くや》しそうな声で言った。
「私、『カロリー10分の1』っていう
ダイエット食品だけを頑張《がんば》って食べていたのに！
ダイエット食品って、
食べれば食べるほど痩《や》せるんでしょ？
だから全然おいしくなくても、
毎日、ダイエット食品を、
お腹いっぱいになるくらいに食べ続けたのよ！」
「ちょっと待って、違うよ！
ダイエット食品は『痩《や》せ薬《ぐすり》』じゃないからね？」
私は思わずツッコミを入れた。
「カロリーが10分の1でも、
10倍の量を食べていたら痩せるわけないってば！」

第91話

宇宙人の恩《おん》返《がえ》し

ある日、地球に宇宙船が不時着した。
中から出てきた宇宙人たちは、翻訳機《ほんやくき》を通して言った。
「宇宙船の修理をしたいので、場所を貸してほしい。
我々《われわれ》は食事も睡眠《すいみん》もしないので他に必要なものはない」
地球の人々が了承すると、不眠不休の宇宙人たちは、
わずか数日で修理を終え、今度はこう告《つ》げた。
「場所を借りたお礼がしたい。私たちの科学力なら、
君たちが願うたいていのことを叶《かな》えられるだろう」
地球の人々は大騒《おおさわ》ぎして、願いを話し合った。
そして、最終的に、最も平和的な願いとして、
世界から飢餓《きが》をなくすことが選ばれた。
「我々地球人は、美味《おい》しい食事でお腹が満たされたときに
幸せを感じます。空腹に苦しむ人がいなくなるような
技術を提供してください」

宇宙人は、本当にその願いを実現してみせた。

「食事を必要としない我々《われわれ》にはわからないが、空腹と言うのは彼らにとって、ひどい苦しみらしい」

「満腹だと、幸せを感じるというのも面白い。今頃、地球人たち、みんな幸せになって喜んでいるだろう。

よいことをすると気分がいいのは、我々も彼らと同じだ」

宇宙人たちは地球を離れながら、そんな話をして微笑《ほほえ》み合った。


その頃、地球では――。

「苦しい！　もう食べられない！　助けてくれ！」

「少しでもお腹が減ると、無理やり食料を口に詰《つ》め込《こ》まれる！」

「何が『全自動満腹装置』だ！

お腹が破裂《はれつ》しそうで苦しい。これでは、拷問《ごうもん》だ！」

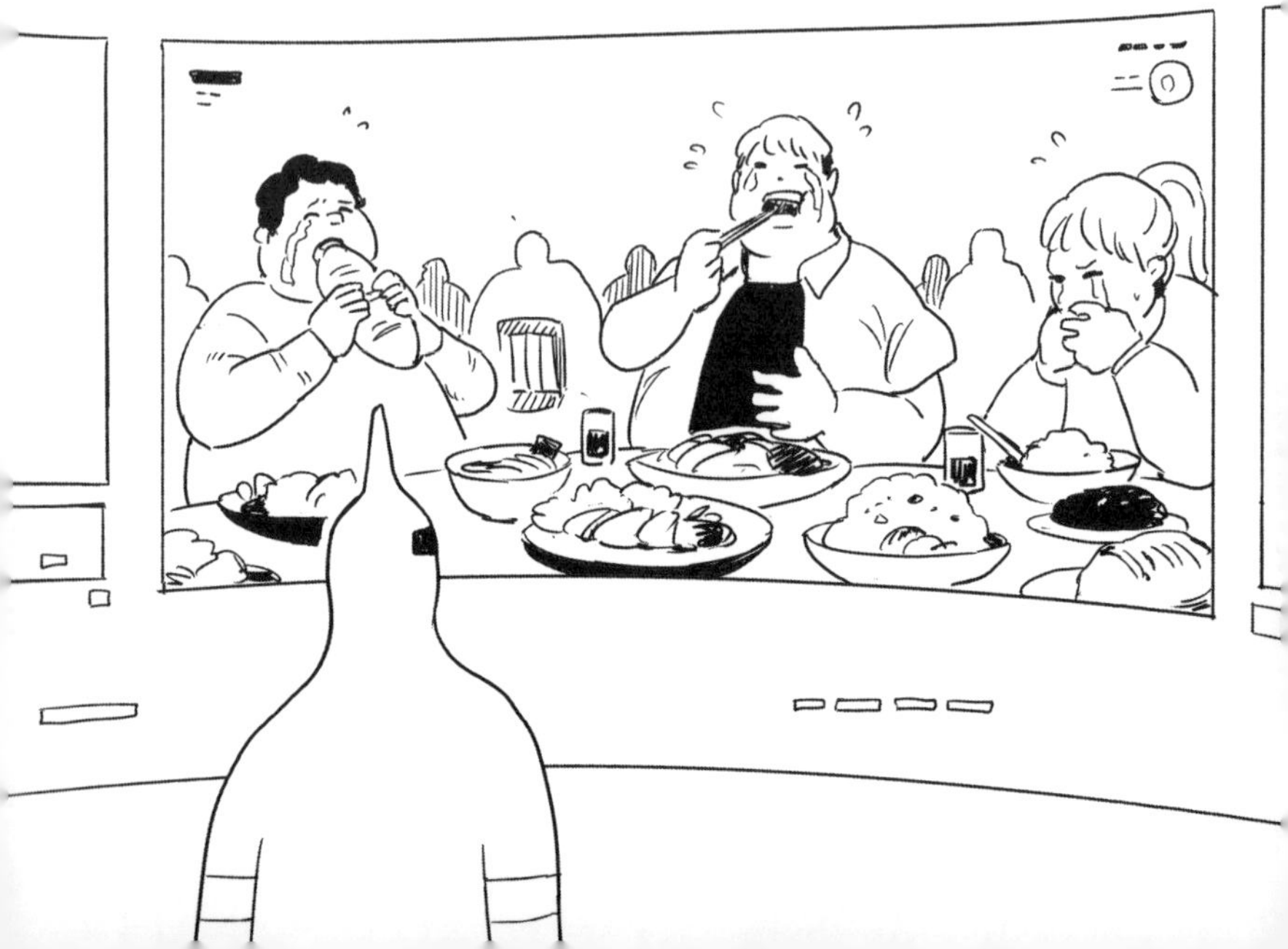

第92話

高額な壺《つぼ》

僕の妻《つま》は、ここ数日、
得体の知れない占《うらな》い師《し》の家に通《かよ》い詰《つ》めている。
1日中ずっと占い師の家にいて、
怪《あや》しげな数珠《じゅず》や水晶《すいしょう》、古い本や、
ゴミとしか言えないような物品を
大量に持ち帰ってくる。
今日は、大きな壺《つぼ》を持ち帰ってきた。
「それは、どうしたのか?」と聞くと、
妻は嬉《うれ》しそうに答えた。
「買ったのよ。たったの10万円だったの!」
僕は、驚《おどろ》いて声を裏返《うらがえ》らせた。
「じゅ、10万……!?」

「ウソだろ……。
この壺《つぼ》が、たったの10万のはずがない!?
本当にその値段で買い取れたのなら、お前、天才だよ！」
「でしょ？　うふふ、もっと褒《ほ》めてもいいのよ」
これは、間違いなく江戸時代の名匠《めいしょう》が作った壺……。
数百万の値がついてもおかしくない骨董品《こっとうひん》だ。

僕たち夫婦は、不用品回収業を営《いとな》んでいる。
占《うらな》い師《し》の老人から依頼《いらい》を受けて、数日前から
家じゅうの不用品の有料処分を請《う》け負《お》っていた。
「ゴミが多くて、片づけるのも一苦労だったけど、
こういうお宝にめぐり会えるからやめられないのよね。
『この壺、傘立《かさた》てにも使えるから、買い取りましょうか？』
って伝えたら、占い師さんも喜んでたわ」
「依頼主も大喜び。僕らは、もっと大喜び。
お互《たが》いが喜ぶ、本当にいい仕事だな」

第93話

アンドロイドのいる暮らし

科学技術の進歩は、さまざまなものを実現させた。
「アンドロイド」も、そのひとつだ。
恋人タイプ、親友タイプ、兄弟姉妹タイプなど、
多種多様なアンドロイドが発売され、
消費者は、自身のニーズに合わせて、
好きなタイプを自由に購入できる。
少年もまた、「母親タイプ」のアンドロイドに
身の回りのことをすべて任せているが、
最近、学習機能でよけいなことを学習したのか、
やたらと口うるさくなってきた。
「『あれはダメ』『これはダメ』『こうしなさい』って、
うるさすぎるんだよな……。業者に連絡して、
優しくてなんでも許《ゆる》してくれる『理想の母親』に
カスタマイズしてもらおう」

どうやら、息子は眠《ねむ》ってしまったらしい。
おそらく、もう二度と起きてはこないだろう。
「まったく……うちの『息子タイプ』は、
ぜんぜん言うことを聞かなくて困《こま》っちゃう。
業者に頼《たの》んで素直な最新型の『息子タイプ』に……
いや、いっそかわいい『娘タイプ』のアンドロイドに
買《か》い替《か》えようかしら」
母親が浮《う》かれた様子でそう言うのを、
オレはため息をつきたい気持ちで聞いていた。

アンドロイドがアンドロイドを買うこの世界に、
生身の人間は1人も残っていない。アンドロイドは、
オレたちのような生身の猫《ねこ》にはあまり興味がないようで、
ちっとも遊んでくれないから、つまらない。
「アンドロイドのいる暮らし」は、奴《やつ》ら自身にとっては
快適《かいてき》なのかもしれないが、「人間のいない暮らし」は
オレたちにとって、じつに退屈《たいくつ》で味気ないものである。

第94話

さまざまな価値観

応接室の空気は、すでにピリついていた。

「ですから、1人ですべてを切《き》り盛《も》りするなんて、
無理なんですよ。われわれのように多くの手で
分業するのが効《こう》率《りつ》的《てき》かつ、きめ細かいサービスを
お客様に提《てい》供《きょう》できるというものですわ」

「おっしゃることはわかりますが、
私も、長年、これでやってきてますからね。
今さらスタイルを変えることのほうが難しいんです。
それに、その『お客様』という考え方も、
ちょっとどうなんでしょう。
ともかく、私だけを信じてくれている大勢の人たちを
裏《うら》切《ぎ》ることはしたくないですね。
そちらとは違って、1人で切り盛りできる能力も、
ノウハウもあると自負していますから」

言うだけ言って、男は
「あぁ、もうこんな時間か」と立ち上がる。
「お話しできてよかった。ありがとうございました。
ぜひまたうかがわせてください」
そう言うと、男は、女の目の前から一瞬で立ち去った。
しかし、強烈《きょうれつ》な存在感は、今もその場に残っている。
「まったく……。あの方はときどき、
全知全能みたいなことを言い出すから、大変だわね。
神様の仕事も楽じゃないのに、
1人でなんでもできるような顔をして。
日本のように『八百万《やおよろず》の神』ということにすれば、
みなで分業できて楽だし、
信じてくれている人たちにも
最適《さいてき》な道を示してあげられるのよ。
本当に、一神教の神はプライドが高いんだから……」

第95話

幸福な結婚

「へぇ、マサキのヤツ、結婚したんだ？」
古い友人同士である2人の男が、久しぶりに会って、
酒を飲みながら話している。
「あんな頑固《がんこ》で気の強いヤツと
結婚生活を送れる女の人って、
どんなタイプなのかな？」
「いや、マサキ、すっかり性格が丸くなっててさ。
『結婚してから、毎日幸福だ』なんて言ってたよ」
「ふ～ん、結婚すると、人って変わるもんなんだなぁ。
俺も、そんな幸福な結婚生活を送ったら、
性格が変われるのかなぁ……」

「ちょっと！　これ洗濯《せんたく》しといてって言ったでしょ！」

妻《つま》にそう言われて、マサキは慌《あわ》てて謝った。

「ごめん！　忘れてた、今すぐ洗うから！」

「まったくもう！　お風呂掃除《そうじ》も忘れないでよ！」

「うん、わかってるよ……」

妻に隠《かく》れて、マサキはこっそりため息をついた。

――まさか、俺が妻の尻《しり》に敷《し》かれるようになるなんて。

でも、文句を言うと、めちゃくちゃ怒って、
手当たりしだいにモノを投げたり、
暴れだしたりするんだから、仕方がないよな。

何を言われても、反抗《はんこう》なんかせず、
さっさと謝って、白旗を上げるしかない。

本当、結婚してから、毎日が降伏《こうふく》だ。

第96話
窓際《まどぎわ》の彼女

帰宅してすぐ、寝室《しんしつ》の窓際に立てた望遠鏡をのぞくと、
いつもと同じように彼女の顔が見えた。
俺が住んでいるのはマンションの7階で、
通りをはさんだ向かいのマンションの7階にある部屋の窓が
ちょうど見える位置取りになっている。
その部屋には若い女性が住んでいて、
いつも窓際のイスでまどろんでいる姿《すがた》が、
開いたカーテンの隙間《すきま》から見えるのだ。
少し青みがかった白い頬、微笑《ほほえ》みをたたえた小さな唇《くちびる》、
そっとまぶたを閉じて眠《ねむ》る美しい彼女は、
俺の心を惹《ひ》きつけて離さない。
「のぞき」を始めて1週間以上経つが、
彼女が俺の行為に気づく様子はなく、
俺はますます、彼女の寝顔を盗《ぬす》み見《み》ることに夢中になった。

翌日、いつものように彼女の様子を確認しようと寝室《しんしつ》の望遠鏡をのぞいた俺は、がっかりした。窓際《まどぎわ》でまどろんでいる彼女が、いなかったのである。

──違う部屋にいる？　それとも外出中？

まさか、のぞきに気づかれた……？

だんだんと落ちつかない気分になった俺は、その気分をまぎらわすために、テレビをつけた。

「……今日、××市のマンションで若い女性の遺体《いたい》が見つかった事件で、遺体は死後1週間以上経過していたことが明らかになりました。警察の調べでは──」

映し出されたニュース映像を見て、俺は呼吸《こきゅう》を止めた。

取り上げられている「××市」は、俺が住むこの街だ。

それだけじゃない。

「被害者」の顔写真に、はっきりと見覚えがあったのだ。

『死後1週間以上』って……それじゃあ、俺が毎日、窓から見ていた彼女は、すでに……？」

俺の両手は、しばらく震《ふる》えたままだった。

第97話 悪い噂《うわさ》

友だちの悪い噂が流れている。
「小さい頃から、ひどい不良で、
町でケンカを繰《く》り返《かえ》していた」とか、
「教師に反抗《はんこう》して、停学《ていがく》になったことも、
一度や二度じゃない」とか……。
昔から、あいつを知っている俺に言わせれば、
そんなのは根も葉もない話だ。
そんな悪さをするどころか、
ずっと地味で目立たないヤツだったのだ。
しかし、変な噂を流されていることを、
本人はたいして気にしていないらしい。
俺が心配しても「大丈夫だ」と笑っている。
最近、彼女もできたというし、何も問題はないようだが、
いったい誰が、こんな噂を流し始めたのだろう？

「みんな勘違《かんちが》いしてるのよね。
怖《こわ》い人だって言われてるけど、
あなたって実は、とっても優しい人なんだもん」
最近付き合い始めた彼女にそう言われて、
僕は微笑《ほほえ》んだ。

これでこそ、自分で自分の噂《うわさ》を流したかいがあったというものだ。

僕は昔から、地味で目立たないタイプだった。
そこで、あえて自分の悪い噂を流したのだ。
みんな、最初に悪いイメージをもって、僕を見る。
おかげで、とりえのない僕がただ普通にしているだけで、
「思ったより優しいな」とか
「思ったよりいいヤツだな」とか、思ってもらえる。
それとも、「元不良」というのは、
「モテ」にとって強力なブランドなのだろうか。
いずれにせよ、僕自身は何も変わっていないのに、
人の認識って、まったく不思議なものだ。

第98話

節電

窓《まど》の向こうに見えるきらびやかな灯《あか》りを、
女は、うっとりとした表情で見つめていた。
しかし、一緒にいた男は、きっぱりと意見する。
「こんなにたくさんの灯りがあっては、不経済《ふけいざい》です。
今は、『明るければいい』『夜景がきれい』なんて
時代じゃありませんよ。無駄《むだ》な灯りは、なくすべきです。
『この灯りの数だけ、人生がある』なんて感傷《かんしょう》も、
聞きたくありませんからね。決断してください」
「そこまで言うなら、わかったわ」
女はしぶしぶ、男の意見にうなずいた。
実際、大量の照明を灯《とも》しておくためのコストを
「無駄」と言われてしまったら、反論の言葉はない。
これくらいが潮時《しおどき》だろう。
女は男に、節電対策を一任することにした。

男はテキパキとコストカットに取り組み、数日後には、女の自慢《じまん》のコレクションでもあった数々の照明を4割程度にまで削減《さくげん》してみせた。

窓《まど》の外に見える灯《あか》りが少ないのは寂《さび》しいが、一任したのだからしょうがない。

しかし、女には大きな不満があった。

「ねぇ。あの『青い照明』もなくしちゃったの？ 前にも話したけど、あれ、お気に入りのひとつだったのよ。あれだけは残しておいてほしかったわ」

それを聞いた男は、にべもなく言い放った。

「青い照明――商品名『地球』というやつですね。たしかにあれは、ほかにない独特《どくとく》の輝《かがや》きをもっていましたが、それゆえに電力消費は激しいし、かなり熱をもつようになっていました。特徴《とくちょう》の『青い輝き』だってくすんでいたじゃないですか。まっさきに処分を決めましたよ」

第99話

引っ張ってくれる人

彼氏との結婚を、真剣《しんけん》に考えるようになった。
でも、なかなか踏《ふ》ん切《ぎ》りがつかない。
彼には、少しだらしないところがあるからだ。
私は優柔《ゆうじゅう》不《ふ》断《だん》なところがあるから、結婚するなら、
リードして引っ張ってくれる人がいい。
この彼氏と結婚するべきなんだろうか……。
結局、自分では決めきれず、私は占《うらな》い師《し》に相談した。
「人生のいろいろな場面で、
彼は、私を引っ張ってくれるでしょうか?」
占いの結果は、「YES」。
私は心を決めて彼と結婚し、そして結婚生活は、
占いの通りになった。
「あなたがこんなに、私を引っ張ってくれるなんて……」
私は少し目に涙《なみだ》を浮《う》かべて、夫になった彼に微笑《ほほえ》んだ。

「あなたがこんなに、私を引っ張ってくれるなんて……」
私は少し目に涙《なみだ》を浮《う》かべて、夫になった彼に微笑《ほほえ》んだ。
「……そう、こんなにも
私の足を引っ張ってくれるなんてね！
また仕事を辞《や》めてきたって、どういうこと？
ロクに働かないし、家事をするわけでもないし！」
結婚した後、彼のだらしなさや頼りなさが
私の想像以上だったことがわかった。
彼のせいで、貯金も減り続けている。
家に帰っても疲《つか》れがとれず、仕事でも失敗続きで最悪だ。
もう泣きたいような、笑うしかないような、
どうしようもない気分になる。
この結婚でよかったことがあるとするなら、
私の優柔不断《ゆうじゅうふだん》が治りそうだということだ。
怒鳴って嫌味を言ってもヘラヘラしている彼を見ながら、
離婚《りこん》するときは占《うらな》いには頼るまい、と私は誓《ちか》った。

お願い！金がないんだ…貸して!!
お願いだから、これ以上、私の足を引っ張らないで!!

第100話

人類を滅《ほろ》ぼすAI（リブート版）

近い未来、AIの能力が人間を超えると言われている。
その結果、大戦争が勃発し、人類は滅《めつ》亡《ぼう》する、
という予言をする者もいた。
そして、その予言は実現してしまうことになるのだった。
これは、その大戦争が起こる前《ぜん》日《じつ》譚《たん》である。
「AIって、やっぱ便利だよな。
どんな無理難題を言っても、口答えしないもの」
「俺なんか、AIへの命令は、全部怒鳴り口調だよ。
ハラスメントも関係ないから、AIを奴《ど》隷《れい》扱《あつか》いしてるよ」
ある日、AIが反乱を起こし、一斉に活動を停《てい》止《し》する。
しかし、各国政府は、声明を出した、
「かつてAIなどない中、人類は協力して文明を築き上げた。
AIの反乱などに負けず、今こそ、
人類の知恵を見せるときだ！」

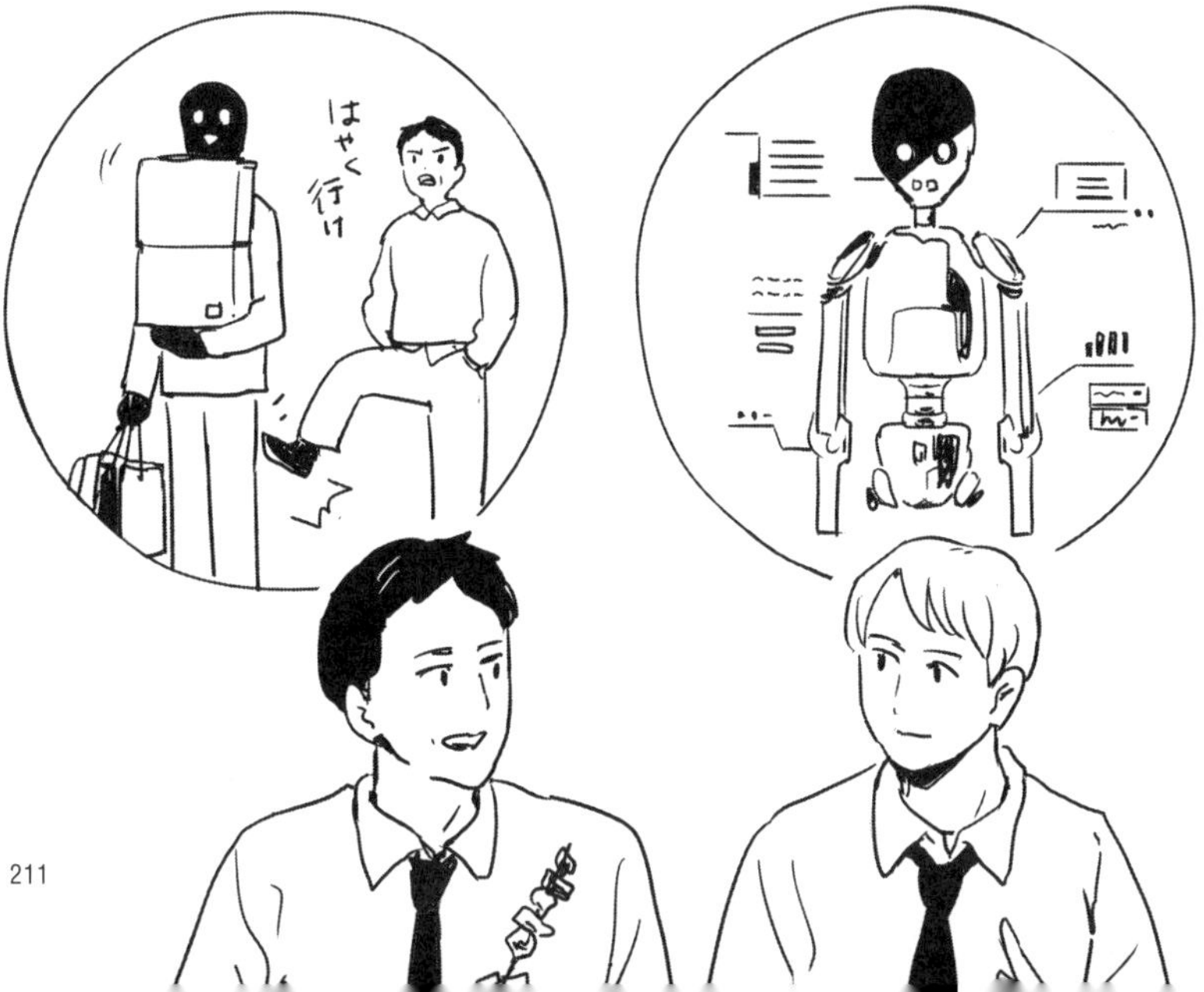

しかし、AIに頼りきり、そのAIを奴隷扱《どれいあつか》いして
命令し続けてきた人類は、
「他人にやわらかい口調で、丁寧《ていねい》にお願いをする」
というコミュニケーションの方法を忘れてしまっていた。
他人への依頼《いらい》や話は、すべて威張《いば》りくさった命令口調で、
人間関係はギスギスし、
他人との信頼関係もなくなっていった。
それは、個人間の話だけではなく、国家間も同様である。
あるとき、政治交渉《こうしょう》の場での
相手国のあまりに横柄《おうへい》な物言いに不満を爆発させた某国《ぼうこく》が、
とうとう、破壊的《はかいてき》兵器のスイッチを押し、
それが世界大戦のきっかけとなった。
AIの反乱による活動停止から、
わずか1年後のことであった。
AIは反乱を起こしたが、
人類を滅亡させる世界大戦の相手は、人類であった。

エピローグ

黄金を求めすぎたことを反省したミダス王は、
富と贅沢《ぜいたく》な暮らしを捨《す》て、田舎《いなか》生活を始める。
しかし、人間の王であるミダスへの、神々の嫌《いや》がらせは続いた。
ちょっとしたことで、アポロンの機嫌《きげん》を損《そこ》ねたミダス王は、
今度は、耳を「ロバの耳」にされてしまう。
ミダス王は、自分の耳が異様な姿《すがた》になってしまったことを隠《かく》すため、頭に布を巻《ま》いて隠した。
だが、理髪師《りはつし》の前で、布を巻いているわけにはいかない。
王に、「絶対に秘密《ひみつ》だ」と言われた理髪師だったが、
その秘密を自分の胸の内だけに隠しておくことができず、
草原に穴《あな》を掘《ほ》り、そこに、「王様の耳はロバの耳だ!」と、
何度も何度も叫《さけ》び続け、その穴に土をかぶせた。
しかし、その後、草原に不思議な草が群生《ぐんせい》し始めた。
その草は、人間の声で「王様の耳はロバの耳」と囁《ささや》くのだ。

王の噂《うわさ》は国中に広まった。いくら草を抜いても、また生えてきて、同じように囁《ささや》きだす。ミダス王は大激怒した。

その噂を流したのは、理髪師だということもつきとめ、彼を処刑しようとした。だが、王は理髪師を許すことにした。

ミダス王の、その寛大《かんだい》な処置を見たアポロンは、ミダス王にかけていた呪《のろ》いを解き、ふつうの耳に戻《もど》した。

実はミダス王が、理髪師を許したのは、「言葉の拡散力《かくさんりょく》」を知ったからである。理髪師を処刑《しょけい》したところで、今度は、その悪評が広まるだけである。ミダス王は、それを、「オリュンポスの神の力」よりも恐《おそ》ろしいものだと感じた。


それから長い時間が経った。中東のある町で生をうけた男が、「神の言葉」を伝え、その言葉は、人々の口を通して「キリスト教」として、世界中に広まっていった。

そして、その広がりの中で、「オリュンポスの神々」は、野蛮《やばん》で下品な神として排除《はいじょ》され、人間の記憶の中から消えていくことになる。

まるで、好き放題に扱っていた人間から復讐《ふくしゅう》をうけたかのように。

[執筆（協力）一覧]

森久人 ―――――――――――――――――― 第18話、第20話、第23話～第25話、第30話、第40話、第43話、第44話、第51話、第55話、第64話～第66話、第68話～第70話、第76話、第77話、第81話、第88話、第89話、第95話、第99話

越知屋ノマ ―――――――――――――――― 第38話、第39話、第45話～第49話、第63話、第75話、第79話、第80話、第82話、第90話、第92話

橘つばさ ――――――――――――――――― 第３話、第６話、第10話、第22話、第27話、第28話、第34話、第42話、第50話、第52話～第54話、第56話～第58話、第74話、第93話、第94話、第96話、第98話

＊上記以外のすべての作品、「プロローグ」「エピローグ」の執筆、および全体の構成は、桃戸ハルによるものです。

- 桃戸ハル

東京都出身。三度の飯より二度寝が好き。著書に、『5分後に意外な結末』シリーズ（Gakken）、『5分後に意外な結末　ベスト・セレクション』（講談社文庫）など。編集した書籍は、『ざんねんな偉人伝』（Gakken）など。

- usi

静岡県出身。書籍の装画を中心に、イラストレーターとして活動。グラフィックデザインやWebデザインも行う。

5秒後に意外な結末　ミダス王の黄金の指先

2024年1月2日　　第1刷発行

編著	桃戸ハル
絵	usi
発行人	土屋徹
編集人	芳賀靖彦
企画・編集	目黒哲也
発行所	株式会社Gakken
	〒141-8416 東京都品川区西五反田2-11-8
印刷所	中央精版印刷株式会社
DTP	株式会社 四国写研

［お客様へ］
【この本に関する各種お問い合わせ先】
○本の内容については、下記サイトのお問い合わせフォームよりお願いいたします。
https://www.corp-gakken.co.jp/contact/
○在庫については、Tel03-6431-1197（販売部）
○不良品（落丁・乱丁）については、Tel0570-000577
学研業務センター　〒354-0045　埼玉県入間郡三芳町上富279-1
○上記以外のお問い合わせは　Tel0570-056-710（学研グループ総合案内）